Polyglott-Sprachführer

Italienisch

Polyglott-Verlag München

| Auflage: | 8. | 7. | 6. | 5. | 4. | Letzte Zahlen |
| Jahr: | 1995 | 94 | 93 | 92 | 91 | maßgeblich |

© 1986 by Polyglott-Verlag Dr. Bolte KG, München
Printed in Germany / Druckhaus Langenscheidt, Berlin
Umschlaggestaltung: Christa Manner, München
Umschlagfoto: Eric Bach Superbild-Archiv, Fotograf Bernd Ducke
ISBN 3-493-61103-X

Einführung

Der Dom Santa Maria del Fiore in Florenz

Wenn Sie sich ohne Vorkenntnisse auf Italienisch verständigen wollen, wird Ihnen dieser Sprachführer eine große Hilfe sein. Er bietet Ihnen alle auf der Reise und im Alltag des fremden Landes erforderlichen Redewendungen und Wörter.

Polyglott ist einer der führenden Verlage für Reiseführer und weiß, worauf es dem Reisenden ankommt. So ist auch dieser Polyglott-Sprachführer aus der Praxis entstanden. Eine übersichtliche Gliederung (s. das Inhaltsverzeichnis auf der folgenden Seite) macht seine Benutzung denkbar einfach:

1. Die *Bildsymbole* (auf Seite 1 und der vorderen Innenseite des Umschlags) helfen Ihnen, das gesuchte Kapitel schnell und problemlos aufzufinden.

2. Auf den Seiten 5 und 6 finden Sie neben den knapp gefaßten Erläuterungen zur *Grammatik* auch Hinweise zur *Aussprache*, die Sie in die Verwendung der einfachen Lautschrift einführen. Mit ihrer Hilfe machen Sie sich bei Ihrem Gesprächspartner problemlos verständlich.

3. Der Sprachführer enthält fünfzehn nach *Sachgebieten* geordnete Einzelkapitel. Die *linke Spalte* jeder Seite bietet in der Regel die wichtigsten deutschen Wendungen und Wörter mit einer danebenstehenden italienischen Übersetzung (*mittlere Spalte*) und der einfachen Lautschrift (*rechte Spalte*). Häufig vorkommende Aufschriften finden Sie mit den entsprechenden Übersetzungen in einem *Kasten*.

4. Gelegentlich wurden zwecks Platzersparnis mehrere Sätze zusammengefaßt. In diesem Fall sind die auszutauschenden Wörter oder Satzteile durch *Schrägdruck* gekennzeichnet.

5. Ein *Sternchen* (*) zu Beginn eines Satzes zeigt an, daß Sie eine solche Frage oder Antwort von Ihrem Gesprächspartner hören können.

6. Ein ausführliches *Register* am Ende dieses Sprachführers enthält wichtige Stichwörter zu den einzelnen Sachgebieten und hilft Ihnen, die Übersetzung von Einzelwörtern oder Wendungen schnell und gezielt zu ermitteln.

Und nun wünschen wir: Buon viaggio!

Inhaltsverzeichnis

Kurzgrammatik

Geschlechtswörter (Artikel)

Es gibt im Italienischen kein sächliches Geschlecht.

Bestimmter Artikel

	männlich	weiblich
Einzahl	il giorno	la sera
	l'anno	l'ora
	lo specchio	
Mehrzahl	i giorni	le sere
	gli anni	le ore
	gli specchi	

Unbestimmter Artikel

	männlich	weiblich
	un giorno	una sera
	un anno	un'ora
	uno specchio	

Verhältniswörter + Geschlechtswörter

Einzahl	Mehrzahl
a + il = al	a + i = ai
a + la = alla	a + le = alle
a + lo = allo	a + gli = agli
a + l' = all'	

entsprechend:

da + il = dal (dalla, dallo, dall', dai,
              dalle, dagli)
di + il = del (della, dello, dell', dei,
              delle, degli)
in + il = nel (nella, nello, nell', nei,
              nelle, negli)

Vado al ristorante.
Ich gehe ins Restaurant.

Vengono dall'università.
Sie kommen von der Universität.

Teilungsartikel

di + bestimmter Artikel

Der Teilungsartikel bezeichnet eine nicht näher bestimmte Menge oder Anzahl '(wird im Deutschen nicht übersetzt).

del vino *Wein*	della birra *Bier*
dei soldi *Geld*	dell'acqua *Wasser*

di ohne Artikel
steht nach Mengenbegriffen wie:

un chilo d'uva	*ein Kilo Trauben*
un litro di vino	*ein Liter Wein*
un bicchiere d'acqua	*ein Glas Wasser*
un etto di burro	*100 g Butter*
un paio di scarpe	*ein Paar Schuhe*
un poco (po') di verdura	*etwas Gemüse*

Hauptwörter

Fast alle Hauptwörter, die auf -o enden, sind männlich, die meisten auf -a sind weiblich. Hauptwörter auf -e sind männlich oder weiblich.

Mehrzahlbildung

Die Mehrzahl der Hauptwörter auf -o und -e wird durch -i, die der (weiblichen) Hauptwörter auf -a durch -e gebildet.

il tetto	*(Dach)*	i tetti
la camera	*(Zimmer)*	le camere
il mese	*(Monat)*	i mesi

abweichende Mehrzahlbildung:

l'uovo	*(Ei)*	le uova
la mano	*(Hand)*	le mani
il turista	*(Tourist)*	i turisti

Hauptwörter auf -co, -ca und -go, -ga bilden häufig die Mehrzahl auf -chi, -che bzw. -ghi, -ghe:

il tedesco	*(Deutscher)*	i tedeschi -ßki
la tedesca	*(Deutsche)*	le tedesche -ßke
il lago	*(See)*	i laghi -gi
la droga	*(Droge)*	le droghe -ge

Manche Hauptwörter bleiben in der Mehrzahl unverändert:

la foto	*(Foto)*	le foto
la città	*(Stadt)*	le città
il cinema	*(Kino)*	le cinema
l'autobus	*(Bus)*	gli autobus

Eigenschaftswörter

Sie richten sich in Geschlecht und Zahl nach dem Hauptwort, auf das sie sich beziehen und enden wie die Hauptwörter auf -o, -a, -e (Mehrzahl auf -i, -e, -i).

il letto comodo   i letti comodi
das bequeme Bett

la camera spaziosa le camere spaziose
das geräumige Zimmer

la stazione   le stazioni
centrale   centrali
der Hauptbahnhof

Stellung des Eigenschaftswortes

meistens hinter dem Hauptwort:
una giacca rossa   *eine rote Jacke*
un'acqua minerale *ein Mineralwasser*

vor dem Hauptwort:
molto, poco, tutto, primo, secondo, mezzo, altro, ultimo

vor dem Hauptwort, wenn sie besonders betont werden sollen, dahinter:

buono, cattivo, grande, piccolo, bello, brutto, giovane, vecchio, nuovo, interessante, breve, lungo

Steigerung des Eigenschaftswortes

comodo	più comodo	il più comodo
bequem	*bequemer*	*am bequemsten*
grande	più grande	il più grande
groß	*größer*	*am größten*
buono	migliore	ottimo
gut	*besser*	*am besten, sehr gut*
cattivo	peggiore	pessimo
schlecht	*schlechter*	*am schlechtesten, sehr schlecht*

Mario è più grande di Luisa (di me). *Mario ist größer als Luisa (als ich).*

Besitzanzeigende Fürwörter

Einzahl		Mehrzahl	
männlich	weiblich	männlich	weiblich
il mio	la mia	i miei	le mie
il tuo	la tua	i tuoi	le tue
il suo	la sua	i suoi	le sue
il nostro	la nostra	i nostri	le nostre
il vostro	la vostra	i vostri	le vostre
il loro	la loro	i loro	le loro

Die besitzanzeigenden Fürwörter richten sich in Geschlecht und Zahl nach dem Besitz, nicht nach dem Besitzer wie im Deutschen. Sie werden mit dem bestimmten Artikel gebraucht. Vor Verwandtschaftsnamen in der Einzahl entfällt der Artikel.

Giovanni
Giovanna ha perso la sua chiave.

Mio padre
Nostra madre ama suo figlio.

mio marito	*mein Mann*
mia moglie	*meine Frau*
i nostri figli	*unsere Kinder*

Das Zeitwort

avere *haben*

(io)	ho	*ich habe*
(tu)	hai	*du hast*
(lui, lei, Lei)	ha	*er, sie hat, Sie (Einz.) haben*
(noi)	abbiamo	*wir haben*
(voi)	avete	*ihr habt*
(loro, Loro)	hanno	*sie, Sie (Mehrz.) haben*

Die persönlichen Fürwörter werden meistens weggelassen.

essere *sein*

sono	*ich bin*
sei	*du bist*
è	*er, sie ist, Sie (Einz.) sind*
siamo	*wir sind*
siete	*ihr seid*
sono	*sie, Sie (Mehrz.) sind*

potere *können*

posso	*ich kann*
puoi	*du kannst*
può	*er, sie kann, Sie (Einz.) können*
possiamo	*wir können*
potete	*ihr könnt*
possono	*sie, Sie (Mehrz.) können*

volere *wollen*	**fare** *machen*
voglio	faccio
vuoi	fai
vuole	fa
vogliamo	facciamo
volete	fate
vogliono	fanno

andare *gehen*	**venire** *kommen*
vado	vengo
vai	vieni
va	viene
andiamo	veniamo
andate	venite
vanno	vengono

dare *geben*	**prendere** *nehmen*
do	prendo
dai	prendi
dà	prende
diamo	prendiamo
date	prendete
danno	prendono

arrivare *ankommen*	**partire** *abreisen*
arrivo	parto
arrivi	parti
arriva	parte
arriviamo	partiamo
arrivate	partite
arrivano	partono

Die Verneinung

no	*nein*
non	*nicht, kein*
(non)...niente	*nichts*

Hai fame? – No. *Hast du Hunger? – Nein.*

Non ho fame. *Ich habe keinen Hunger.*

Non parto. *Ich reise nicht ab.*

Non ha detto niente. *Er (sie) hat nichts gesagt.*

Cosa hai detto? – Niente. *Was hast du gesagt? – Nichts.*

Aussprache

dsch wie in **Dsch**ungel
s stimmhaft wie in **R**ose
ß stimmlos wie in A**s**t

' = Betonungszeichen hinter dem Selbstlaut der betonten Silbe

6

Allgemeines

Gruß und Anrede

Guten Morgen.	Buongiorno.	buo'ndscho'rno
Guten Tag (Guten Abend).	Buongiorno (Buonasera).	buo'ndscho'rno (buo'naße'ra)
Hallo / Grüß dich!	Ciao / Buongiorno!	tscha'o / buo'ndscho'rno
Herr / Frau / Fräulein ...	Signore / Signora / Signorina ...	ßinjo're / ßinjo'ra / ßinjori'na ...
Wie geht es dir (Ihnen)?	Come stai (sta)?	ko'me ßta'i (ßta')
Wie geht's?	Come va?	ko'me wa'
Auf Wiedersehen.	Arrivederci.	ar-riwede'rtschi
Tschüß / Servus.	Ciao / Arrivederci.	tscha'o / ar-riwede'rtschi
Gute Nacht.	Buonanotte.	buo'nano't-te
Gute Reise.	Buon viaggio.	buo'n wja'dscho
Grüßen Sie ... von mir.	Tanti saluti a ... da parte mia.	ta'nti ßalu'ti a ... da pa'rte mi'a

Persönliches

Wie ist Ihr Name, bitte?	Come si chiama?	ko'me ßi kja'ma
Ich heiße ...	Mi chiamo ...	mi kja'mo ...
Das ist mein Mann (Freund, Sohn, Vater).	Questo è mio marito (amico, figlio, padre).	kue'ßto ä' mi'o mari'to (ami'ko, fi'ljo, pa'dre)
Das ist meine Frau (Freundin, Tochter, Mutter).	Questa è mia moglie (amica, figlia, madre).	kue'ßta ä' mi'a mo'lje (ami'ka, fi'lja, ma'dre)
Woher kommen Sie (kommst du)?	Di dove è Lei? (sei tu)?	di do'we ä' lä'i (ßäi tu')
Ich komme aus Deutschland (Österreich, der Schweiz)	Sono tedesco (austriaco, svizzerro).	ßo'no tede'ßko (außtri'ako, swi'tßero)
Wir wohnen in ... (im Hotel ...)	Siamo a ... (all'hotel ...)	ßja'mo a ... (allotä'l)

Einfache Wendungen / Entschuldigung / Dank

Ja / Nein / Niemals.	Sì / No / Mai.	ßi' / no' / ma'i
Danke (sehr).	Grazie (mille).	gra'tßje (mil-le)
Bitte (sehr) / Keine Ursache!	Prego/ Non c'è di che!	prä'go non tschä' di kä'
Ja, bitte.	Sì, grazie.	ßi, gra'tßje
Nein, danke.	No, grazie.	no, gra'tßje
Schade / Das tut mir leid.	Peccato / Mi dispiace.	pek-ka'to mi dißpja'tsche
Entschuldigung!	Scusi!	ßku'si
Vielleicht / (Sehr) gerne!	Forse / (Molto) volentieri!	fo'rße (mo'lto) wolentjä'ri
Gut, einverstanden.	Bene, d'accordo.	bä'ne, dak-ko'rdo
Viel Vergnügen (Glück)!	Buon divertimento (Tanta fortuna)!	buo'n diwertime'nto (ta'nta fortu'na)
Herzlichen Glückwunsch!	Tanti auguri!	ta'nti augu'ri

Verständigung

Deutsch	Italienisch	Aussprache
Spricht hier jemand Deutsch?	C'è qualcuno che parla tedesco qui?	tschä' kualku'no ke pa'rla tede'ßko kui'
Wie heißt das auf italienisch?	Come si dice ... in italiano?	ko'me ßi di'tsche in italja'no
Wie bitte?	Come, scusi?	ko'me, ßku'si
Ich verstehe nicht (alles).	Non capisco (tutto).	non kapi'ßko (tu't-to)
Bitte sprechen Sie etwas langsamer.	Per favore parli più adagio.	per fawo're pa'rli pju' ada'dscho
Schreiben Sie es bitte auf.	Me lo scriva, per favore.	me lo ßkri'wa, per fawo're

Allgemeine Fragen / Bitten / Wünsche

Deutsch	Italienisch	Aussprache
Wann / Wer / Wo(hin)?	Quando / Chi / Dove?	kua'ndo / ki' / do'we
Was ist das?	Che cosa è questo?	ke ko'sa ä' kue'ßto
Was kostet das?	Quanto costa questo?	kua'nto ko'ßta kue'ßto?
Wieviel(e)?	Quanto *(i)?*	kua'nto (kua'nti)
Wie lange?	Quanto tempo?	kua'nto tä'mpo
Wo ist ...?	Dove è ... / Dov'è ...?	do'we ä' / dowä' ...
Wo gibt es ...?	Dove *c'è (ci sono)* ...?	do'we tschä (tschi ßo'no) ...
Gibt es hier ...?	C'è *(ci sono)* qui ...?	tschä' (tschi ßo'no) kui' ...
Wo sind wir hier?	Dove siamo qui?	do'we ßja'mo kui'
Wo (Wann) treffen wir uns?	*Dove (Quando)* ci incontriamo?	do'we (kua'ndo) tschi inkontrja'mo
Wie spät ist es?	Che ore sono?	ke o're ßo'no
Wann wird ... *geöffnet (geschlossen)?*	Quando *apre (chiude)* ...?	kua'ndo a'pre (kju'de)
Ich suche ...	Cerco ...	tsche'rko ...
Ich möchte *Herrn (Frau, Fräulein)* ... sprechen.	Vorrei parlare con *il Signor (la Signora, Signorina)* ...	wor-rä'i parla're kon il ßinjo'r (la ßinjo'ra, ßinjori'na) ...
Geben (Zeigen) Sie uns (mir) bitte ...!	*Mi (ci) dia (mostri)* per piacere ...!	mi (tschi) di'a (mo'ßtri) per pjatsche're ...
Können Sie mir helfen?	Mi può aiutare?	mi puo' ajuta're
Gestatten Sie?	Permette?	perme't-te
Können Sie wechseln?	Può cambiare?	puo' kambja're
Ich möchte ...	Vorrei ...	wor-rä'i ...
Das funktioniert nicht.	Questo non funziona.	kue'ßto non funtßjo'na

Wetter

Deutsch	Italienisch	Aussprache
Es ist schönes Wetter heute.	Fa bel tempo oggi.	fa' bäl tä'mpo o'd-dschi
Wieviel Grad haben wir?	Quanti gradi ci sono?	kua'nti gra'di tschi ßo'no
Bleibt das Wetter schön?	Il tempo rimane bello?	il tä'mpo rima'ne bä'l-lo
Gibt es ein Gewitter?	Ci sarà un temporale?	tschi ßara' un tempora'le
Was meldet der Wetterbericht?	Che cosa dicono le previsioni del tempo?	ke ko'sa di'kono le prewisjo'ni del tä'mpo
Das Barometer *fällt (steigt).*	Il barometro *scende (sale).*	il baro'metro sche'nde (ßa'le)

Es ist kalt / warm.	Fa freddo / caldo.	fa frä'd-do / ka'ldo
– heiß.	– molto caldo.	mo'lto ka'ldo
– schwül.	– C'è afa.	tschä' a'fa
– windig / stürmisch.	– C'è vento / c'è	tschä we'nto / tschä
	tempesta.	tempä'ßta
– neblig / glatt.	– C'è nebbia / c'è	tschä' neb-bja / tschä
	ghiaccio.	gja'tscho
Es regnet / schneit.	Piove / nevica.	pjo'we / ne'wika
– friert / taut / hagelt.	Gela / disgela / grandina.	dsche'la / disdsche'la /
		gra'ndina
Die Sonne scheint.	C'è il sole.	tschä' il ßo'le
Hitze / Kälte	Caldo / freddo	ka'ldo / frä'd-do
Sonne / Mond	Sole / luna	ßo'le / lu'na
Regen / Schnee	Pioggia / neve	pjo'd-dscha / ne'we
Nebel / Glatteis	Nebbia / ghiaccio	nä'b-bia / gja't-tscho
Wind / Sturm	Vento / tempesta	we'nto / tempä'ßta
Temperatur	Temperatura	temperatu'ra
Straßenzustand	Condizioni delle strade	konditßjo'ni de'l-le
		ßtra'de

Touristische Auskünfte / Wünsche

Wo ist das Fremdenverkehrsbüro?	Dov'è l'ufficio del turismo?	dowä' luf-fi'tscho del turi'smo
Ich möchte bitte einen Stadtplan.	Vorrei una piantina della città.	wor-rä'i u'na pjanti'na de'l-la tschit-ta'
Gibt es Stadtrundfahrten (Hafenrundfahrten)?	Ci sono dei giri turistici per la città (per il porto)?	tschi ßo'no de'i dschi'ri turi'ßtitschi per la tschitta' (per il po'rto)
Was kostet die Rundfahrt?	Quanto costa un giro?	kua'nto ko'ßta un dschi'ro
Wann (Wo) fährt der Bus ab?	Quando (da dove) parte l'autobus?	kua'ndo (da do'we) pa'rte la'utobuß
Gibt es Ausflüge nach...?	Ci sono degli escursioni a...?	tschi ßo'no de'lji eßkurßjo'ni a ...
Haben Sie einen Veranstaltungskalender für diese Woche?	Ha un calendario delle manifestazioni di questa settimana?	a' un kalenda'rjo de'l-le manifeßtatßjo'ni di kue'ßta ßet-tima'na
Welche Sehenswürdigkeiten gibt es hier?	Che cosa c'è di interessante da vedere qui?	ke ko'sa tschä' di intereß-ßa'nte da wede're kui'
Ich hätte gern ein Hotelverzeichnis (einen Campingführer).	Vorrei un elenco degli hotel (dei campeggi).	wor-rä'i un ele'nko de'lji otä'l (de'i kampä'd-dschi)
Ich suche ein gutes (einfaches) Hotel.	Cerco un buon (economico) hotel.	tsche'rko un buo'n (ekono'miko) otä'l
Gibt es hier eine Jugendherberge?	C'è un ostello per la gioventù?	tschä' un oßtä'l-lo per la dschowentu'
Können Sie mir den Weg auf dem Stadtplan zeigen (aufzeichnen)?	Mi può indicare la strada sulla piantina (segnarmela)?	mi puo' indika're la ßtra'da su'l-la pianti'na (ßenja'rmela)

Wochentage / Feiertage

Montag / Dienstag	lunedì / martedì	lunedi' / martedi'
Mittwoch / Donnerstag	mercoledì / giovedì	merkoledi' / dschowedi'
Freitag / Samstag	venerdì / sabato	wenerdi' / ßa'bato

9

Sonntag / Wochentag	domenica / giorno feriale	dome'nika / dscho'rno ferja'le
Feiertag / Wochenende	festivo / fine settimana	feßti'wo / fi'ne ßettima'na
Weihnachten / Neujahr	Natale / Capodanno	nata'le / kapoda'n-no
Ostern / Pfingsten	Pasqua / Pentecoste	pa'ßkua / penteko'ßte
Nationalfeiertag	Festa nazionale	fä'ßta natßjona'le
Geburtstag	il compleanno	il komplea'n-no

Monate / Jahreszeiten

Januar / Februar	gennaio / febbraio	dschen-na'jo / feb-bra'jo
März / April	marzo / aprile	ma'rtßo / apri'le
Mai / Juni	maggio / giugno	ma'd-dscho / dschu'njo
Juli / August	luglio / agosto	lu'ljo / ago'ßto
September / Oktober	settembre / ottobre	ßet-tä'mbre / ot-to'bre
November / Dezember	novembre / dicembre	nowä'mbre / ditschä'mbre
Jahreszeit / Saison	la stagione	la ßtadscho'ne
Frühling / Sommer	primavera / estate	primawe'ra / eßta'te
Herbst / Winter	autunno / inverno	autu'nno / inwä'rno

Datum / Uhrzeit

Der wievielte ist heute?	Quanti ne abbiamo oggi?	kua'nti ne ab-bja'mo o'd-dschi
Heute ist der 1. Mai.	Oggi è il primo maggio.	o'd-dschi ä' il pri'mo ma'd-dscho
Morgen ist der 2. Mai.	Domani sarà il due maggio.	doma'ni ßara' il du'e ma'd-dscho
Am 5. September	il cinque settembre	il tschi'nkue ßet-tä'mbre
Bis zum 3. August.	Fino al 3 (tre) agosto.	fi'no al tre' ago'ßto
Wie spät ist es?	Che ore sono?	ke o're ßo'no?
Es ist (genau) zwei Uhr.	Sono le due (in punto).	ßo'no le du'e (in pu'nto)
– halb sechs.	– le cinque e mezzo.	le tschi'nkue e mä'd-dso
– Viertel vor fünf.	– le cinque meno un quarto.	le tschi'nkue me'no un kua'rto
– Viertel nach neun.	– le nove e un quarto.	le no'we e un kua'rto
– zehn vor eins.	– l'una meno dieci.	lu'na me'no djä'tschi
– fünf nach elf.	– le undici e cinque.	le u'nditschi e tschi'nkue
– zwölf Uhr mittags.	– E' mezzogiorno.	ä' mäd-dsodscho'rno
– Mitternacht.	– E' mezzanotte.	ä' mäd-dsano't-te
Um wieviel Uhr?	A che ora?	a ke o'ra
Um acht Uhr (morgens).	Alle otto (di mattina).	a'l-le o't-to (di mat-ti'na)
In einer Stunde.	Fra un'ora.	fra' uno'ra
Nicht vor neun Uhr.	Non prima delle nove.	non pri'ma de'l-le no'we
Ortszeit / Sommerzeit.	ora locale / ora legale.	o'ra loka'le / o'ra lega'le
In zehn Minuten.	Fra dieci minuti.	fra djä'tschi minu'ti
Zwischen neun und zehn Uhr.	Entre le (ore) nove e dieci.	e'ntre le o're no'we e djä'tschi
Von dreizehn bis fünfzehn Uhr dreißig.	Dall'una (fino) alle tre e mezzo.	dallu'na fi'no a'l-le tre e mä'd-dso

Sonstige Zeitangaben

Tag / Woche	giorno / settimana	dscho'rno / ßet-tima'na
Monat / Jahr	mese / anno	me'se / a'n-no
morgens / vormittags	di mattina / in mattinata	di mat-ti'na / in mattina'ta
mittags / nachmittags	a mezzogiorno / di pomeriggio	a mädsodscho'rno / di pomeri'dscho
abends / nachts	di sera / di notte	di ße'ra / di no't-te
heute / gestern	oggi / ieri	o'd-dschi / jä'ri
morgen (früh)	la mattina (presto)	la mat-ti'na (prä'ßto)
übermorgen / vorgestern	dopodomani / ieri l'altro	dopodoma'ni / jä'ri la'ltro
heute *morgen (abend)*	*stamattina (stasera)*	ßta mat-ti'na (ßtaße'ra)
gestern abend	ieri sera	jä'ri ße'ra
diese *(nächste)* Woche	*questa (la prossima)* settimana	kue'ßta (la pro'ß-ßima) ßet-tima'na
in drei *Tagen (Monaten)*	fra tre *giorni (mesi)*	fra tre dscho'rni (me'si)
vor *einer Woche (14 Tagen)*	*una settimana (quindici giorni)* fa.	u'na ßet-tima'na (kui'n-ditschi dscho'rni) fa'
letzten Sonntag	domenica scorsa	dome'nika ßko'rßa
nächstes Jahr	l'anno prossimo	la'n-no pro'ß-ßimo
seit einer Woche	da una settimana	da u'na ßet-tima'na
jetzt/bis jetzt	adesso / finora	adäß-ßo/fino'ra
bald/später	presto/più tardi	prä'ßto/pju ta'rdi

Zahlen

0	zero	dsä'ro	20	venti	we'nti
1	uno	u'no	21	ventuno	wentu'no
2	due	du'e	22	ventidue	wentidu'e
3	tre	tre'	30	trenta	tre'nta
4	quattro	kua't-tro	40	quaranta	kuara'nta
5	cinque	tschi'nkue	50	cinquanta	tschinkua'nta
6	sei	ßä'i	60	sessanta	ßeß-ßa'nta
7	sette	ßä't-te	70	settanta	ßet-ta'nta
8	otto	o't-to	80	ottanta	ot-ta'nta
9	nove	no'we	90	novanta	nowa'nta
10	dieci	djä'tschi	100	cento	tschä'nto
11	undici	u'nditschi	110	centodieci	tschäntodjä'tschi
12	dodici	do'ditschi	200	duecento	duetschä'nto
13	tredici	tre'ditschi	1.000	mille	mi'l-le
14	quattordici	kuat-to'r-ditschi	2.000	duemila	duemi'la
15	quindici	kui'nditschi	5.000	cinquemila	tschinkuemi'la
16	sedici	ße'ditschi	10.000	diecimila	djätschimi'la
17	diciassette	ditschaß-ßä't-te	15.000	quindici-mila	kui'nditschi-mi'la
18	diciotto	ditscho't-to	50.000	cinquanta-mila	tschinkua'nta-mi'la
19	diciannove	ditschanno'we	1.000.000	un milione	un miljo'ne

11

Reisen mit dem Auto und Motorrad

Fremdsprachige Hinweise / Verkehrszeichen

ATTENZIONE	**Achtung**
ACCENDERE LE LUCI (FARI)	**Scheinwerfer einschalten**
AREA DI SOSTA	**Rastplatz**
AUTOCARRI	**Schwerlastverkehr (Umfahrung)**
AUTOSTRADA	**Autobahn**
CADUTA MASSI	**Steinschlag**
CANTIERE / LAVORI IN CORSO	**Baustelle**
CARREGGIATA ONDULATA	**Gewellte Fahrbahn**
CONTINUA	**... gilt weiter**
CORSIA ACCIDENTATA	**Schlechte Fahrbahn**
CURVA PERICOLOSA	**Gefährliche Kurve**
DEVIAZIONE	**Umleitung**
DISCESA PERICOLOSA	**Starkes Gefälle**
DIVIETO DI PARCHEGGIO	**Parkverbot**
DIVIETO DI SORPASSO	**Überholen verboten**
ENTRATA / PASSAGGIO	**Einfahrt**
FINE DIVIETO DI SOSTA	**Ende des Parkverbots**
OSPEDALE	**Krankenhaus**
PARCHEGGIO	**Parkplatz**
PASSAGGIO A LIVELLO	**Bahnübergang**
PASSO	**Paßstraße**
PERICOLO	**Gefahr**
PERICOLO VALANGHE	**Lawinengefahr**
PERICOLO DI VITA	**Lebensgefahr**
PEDAGGIO AUTOSTRADALE	**Autobahngebühr**
PISTA PER CICLISTI	**Radfahrweg**
PRECEDENZA	**Vorfahrt**
RALLENTARE	**Langsamer fahren**
SENSO UNICO	**Einbahnstraße**
SOSTA DI EMERGENZA	**Standspur (für den Notfall)**
SOSTA VIETATA	**Parken verboten**
STRADA SDRUCCIOLEVOLE	**Rutschgefahr**
STRETTOIA	**Fahrbahnverengung**
TENERE LA DESTRA	**Rechts fahren**
UFFICIO DEL TURISMO	**Fremdenverkehrsamt**
USCITA AUTOCARRI	**Lastwagenausfahrt**
VEICOLI LENTI	**Kriechspur**
SEMAFORI SINCRONIZZATI	**Grüne Welle**
ZONA DEL SILENZIO	**Hupverbot**
ZONA PARCHEGGIO A DISCO	**Parken nur mit Parkscheibe**

Fragen nach dem Weg

Ist das die Straße nach ...?	E' questa la strada per ...?	ä'kue'ßta la ßtra'da per ...
Komme ich hier in die Innenstadt?	Arrivo per di qua in centro?	ar-ri'wo per di kua' in tsche'ntro
Komme ich hier zur Autobahn nach ...?	Arrivo per di qua sull'autostrada per ...?	ar-ri'wo per di kua' ßul-lautoßtra'da per ...

Muß ich rechts (links) abbiegen?	Devo voltare a destra (a sinistra)?	de'wo wolta're a dä'ßtra (a ßini'ßtra)
Kann ich geradeaus fahren?	Posso andare diritto?	po'ß-ßo anda're diri't-to
Muß ich zurückfahren?	Devo tornare indietro?	de'wo torna're indjä'tro
Ist es noch weit bis …?	E' ancora lontano fino a …?	ä' anko'ra lonta'no fi'no a …
Gibt es eine andere (bessere) Straße nach …?	C'è un' altra (una migliore) strada per …?	tschä' u'n a'ltra (u'na miljo're) ßtra'da per …
Können Sie mir das auf der Karte zeigen?	Me lo può indicare sulla carta?	me'lo puo' indika're ßu'l-la ka'rta
Ist die Straße nach … gut (sehr schmal)?	La strada per … è buona (molto stretta)?	la ßtra'da per … ä' buo'na (mo'lto ßtre't-ta)
Kommt man mit dem Wohnwagen durch?	Si passa con la roulotte?	ßi pa'ß-ßa kon la rulo'tt
Ist der Paß geöffnet?	Il passo è aperto?	il pa'ß-ßo ä' apä'rto
Braucht man Winterreifen (Schneeketten)?	Occorrono le ruote chiodate (catene)?	ok-ko'r-rono le ruo'te kjoda'te (le kate'ne)

Autovermietung

Ich möchte … mieten	Vorrei noleggiare …	wor-rä'i noled-dscha'rc …
– ein Auto	– un' auto (una macchina)	un au'to (u'na ma'k-kina)
– ein Motorrad	– una motocicletta	u'na mototschikle't-ta
– ein Wohnmobil	– una roulotte	u'na rulo'tt
– einen Kleinbus	– un minibus	un minibu'ß
– mit (ohne) Fahrer	– con (senza) autista	kon (ßä'ntßa) auti'ßta
– mit Automatik	– con l'automatico	kon lautoma'tiko
– für 2 (4) Personen	– per due (quattro) persone	per du'e (kua't-tro) perßo'ne
– für einen Tag (zwei Tage, eine Woche, zwei Wochen)	– per un giorno (due giorni, una settimana, due settimane)	per un dscho'rno (du'e dscho'rni, u'na ßet-tima'na, du'e ßet-tima'ne)
Kann ich den Wagen heute noch abholen (gleich mitnehmen)?	Posso ritirare la macchina oggi stesso (aspettare per ritirarla)?	po'ß-ßo ritira're la ma'k-kina o'd-dschi ßte'ß-ßo (aßpet-ta're per ritira'rla)
Wie hoch ist die Kaution?	Quanto è la cauzione?	kua'nto ä' la kautßjo'ne
Ist der Wagen vollgetankt?	E' stato fatto il pieno di benzina?	ä ßta'to fa't-to il pje'no di bendsi'na
Ist eine Vollkaskoversicherung (mit Selbstbeteiligung) eingeschlossen)?	E' compresa un'assicurazione contro tutti i rischi (con una quota propria)?	ä' kompre'ßa un aß-ßikuratßjo'ne ko'ntro tu't-ti i ri'ßki (kon u'na kuo'ta pro'pria)
Kann ich den Wagen auch woanders (in …) abliefern?	Posso consegnare l'auto anche altrove (a …)?	po'ß-ßo 'konßenja're lau'to a'nke altro'we (a …)
Wie hoch ist der Mietpreis pro Tag (Woche, Kilometer)?	Qual è la tariffa al giorno (alla settimana, al chilometro)?	kual ä'la tari'f-fa al dscho'rno (a'l-la ßet-tima'na, al kilo'metro)
Darf ich den Wagen mit diesem Führerschein fahren?	Posso guidare la macchina con questa patente?	po'ß-ßo guida're la ma'k-kina kon kue'ßta pate'nte

13

Autostop

Fahren Sie nach …?	Va a …?	wa' a …
Könnten Sie mich *ein Stück (bis …)* mitnehmen?	Potrebbe darmi un passaggio (fino a …)?	poträ'b-be da'rmi un paß-ßa'dscho (fi'no a …)
Wir möchten nach …	Vorremmo andare a …	wor-re 'm-mo anda're a …
Danke fürs Mitnehmen.	Grazie per il passaggio.	gra'tßje per il paß-ßa'd-dscho

Parken

Wo kann ich meinen Wagen (über Nacht) abstellen?	Dove posso mettere la macchina (di notte)?	do'we po'ß-ßo me't-tere la ma'k-kina (di no't-te)
Ist hier in der Nähe *eine Garage (ein Parkplatz)?*	C'è *un garage (un parcheggio)* qui vicino?	tschä' un gara'sch (un parke'd-dscho) kui' witschi'no
Ist der Parkplatz bewacht?	Il parcheggio è custodito?	il parke'd-dscho ä' kußtodi'to

Panne und Unfall

Ich habe (Wir haben) eine Panne.	*Ho (Abbiamo)* un guasto alla macchina.	o' (ab-bja'mo) un gua'ßto a'l-la ma'k-kina
Kann ich bei Ihnen telefonieren?	Posso telefonare da qui?	po'ß-ßo telefona're da kui'
Ich habe eine Reifenpanne.	Ho una gomma forata.	o' u'na go'm-ma fora'ta
Wir haben kein Benzin.	Non abbiamo benzina.	non ab-bja'mo bendsi'na
Würden Sie mich bis zur nächsten *Tankstelle (Kreuzung, Notrufsäule, Reparaturwerkstatt)* mitnehmen?	Potrebbe portarmi fino *al primo distributore (incrocio, alla prima colonnina di soccorso, officina)?*	poträ'b-be porta'rmi fi'no al pri'mo dißtributo're (inkro'tscho, alla pri'ma kolon-ni'na di ßok-ko'rßo, of-fitschi'na)
Können Sie mir einen *Abschleppwagen (Mechaniker)* schicken?	Potrebbe mandarmi un *carro attrezzi (meccanico)?*	poträ'b-be manda'rmi un ka'r-ro at-tre't-tßi (mek-ka'niko)
Können Sie mir … leihen, bitte?	Può imprestarmi per favore …?	puo' impreßta'rmi per fawo're …
– Ihren Wagenheber	– il Suo cric	il ßu'o kri'k
– einen Kreuzschlüssel	– una chiave a croce	u'na kja'we a kro'tsche
– einen Schraubenzieher	– un cacciavite	un katschawi'te
– eine Zange	– le tenaglie	le tena'lje
Könnten Sie …?	Potrebbe …?	poträ'b-be …
– mir beim Anschieben helfen?	– aiutarmi a spingere?	ajuta'rmi a ßpi'ndschere
– mir Starthilfe geben?	– aiutarmi a partire?	ajuta'rmi a parti're
– den Wagen *abschleppen (anschleppen)?*	– a *rimorchiare (mettere in moto)* la macchina?	a rimorkja're (me't-tere in mo'to) la ma'k-kina
Wir haben einen Unfall gehabt.	Abbiamo avuto un incidente.	ab-bja'mo awu'to un intschidä'nte
Rufen Sie bitte …	Chiami per favore	kja'mi per fawo're
– die Polizei.	– la polizia	la politßi'a
– einen Krankenwagen.	– un'autoambulanza	un autoambula'ntßa
– einen Arzt.	– un medico	un mä'diko
Sind Sie verletzt?	Lei è ferito?	lä'i ä' feri'to

14

Es ist niemand verletzt.	Nessuno è ferito.	neß-ßu'no ä' feri'to
Ich hatte Vorfahrt.	Avevo la precedenza.	awe'wo la pretsche-de'nza
Bitte geben Sie mir Ihren Namen und Ihre *Adresse (Versicherung)* an.	Mi dia il Suo nome e *il Suo indirizzo (la Sua Assicurazione).*	mi di'a il ßu'o no'me e il ßu'o indiri't-tßo (la ßu'a aß-ßikuratßjo'ne)
Es ist nur ein Blech- schaden.	E' solo un danno alla carrozzeria.	ä' ßo'lo un da'n-no a'l-la kar-rot-tßeri'a

Tanken und Service

Wo ist die nächste Tank- stelle?	Dov'è il distributore più vicino?	dowä' il dißtributo're pju' witschi'no
Ist es weit?	E' lontano?	ä' lonta'no
Bitte 20 Liter ...	Per piacere 20 litri di ...	per pjatsche're we'nti li'tri di
– Bleifrei.	– senza piombo.	se'ntßa pjo'mbo
– Super / Diesel	– super / diesel	ßu'per / die'sel
– Zweitaktmischung	– miscela	mische'la
Ich möchte für 10.000 Lire Benzin.	Vorrei diecimila lire di benzina	wor-rä'i djä'tschimila li're di bendsi'na
Bitte volltanken!	Faccia il pieno!	fa'tscha il pje'no
Füllen Sie bitte auch den Reservekanister.	Riempia anche il contenitore di riserva.	riä'mpja a'nke il kontenito're di riße'rwa
Bitte prüfen Sie ...	Per piacere controlli ...	per pjatsche're kontro'l- li
– den Ölstand	– l'olio	lo'ljo
– den Reifendruck	– la pressione delle gomme	la preßjo'ne de'l-le go'm-me
– das Kühlwasser	– l'acqua per il radiatore	la'kua per il radjato're
– die Batterie	– la batteria	la bat-teri'a
Füllen Sie bitte Öl nach.	Aggiunga dell'olio, per favore.	ad-dschu'nga del-lo'ljo per fawo're
Machen Sie bitte einen Ölwechsel.	Per piacere mi cambi l'olio.	per pjatsche're mi ka'mbi lo'ljo
Laden Sie bitte die Batterie auf.	Per piacere carichi la batteria.	per pjatsche're ka'riki la bat-teri'a
Bitte pumpen Sie den Reservereifen auf.	Per piacere gonfi la ruota di ricambio.	per pjatsche'rc go'nfi la ruo'ta di rika'mbjo
Reparieren Sie bitte die- sen *Reifen (Schlauch).*	Ripari questa *ruota (camera d'aria).*	ripa'ri kue'ßta ruo'ta (ka'mera da'rja)
Bitte *reinigen (wech- seln)* Sie die Zünd- kerzen.	*Pulisca (Cambi)* le candele, per piacere.	puli'ßka (ka'mbi) le kande'le, per pjatsche're
Wechseln Sie bitte diese Birne aus.	Cambi questa lampadina, per favore.	ka'mbi kue'ßta lampadi'na, per fawo're
Eine Wagenwäsche, bitte.	Un lavaggio alla macchina, per favore.	un lawa'dscho a'l-la ma'k-kina, per fawo're
Ich möchte ... haben.	Vorrei ... avere	wor-rä'i awe're
– Wasser für *den Kühler (die Scheiben- waschanlage)*	– acqua per *il radiatore (il lavavetri)*	a'kua per il radjato're (il lawawe'tri)
– Frostschutzmittel	– anticongelante	antikondschela'nte
– destilliertes Wasser	– acqua distillata	a'kua dißtil-la'ta
– 1 Liter Motorenöl	– un litro d'olio motore	un li'tro do'ljo moto're
– Scheibenwischer- blätter	– bordi di gomma per i tergicristalli	bo'rdi di go'm-ma per i terdschikrißta'l-li
– Bremsflüssigkeit	– liquido dei freni	li'kuido de'i fre'ni

15

Werkstatt und Reparatur

Gibt es hier eine Autowerkstatt?	C'è un'officina?	tschä' un of-fitschi'na
... ist nicht in Ordnung.	... non è a posto.	... non ä' a po'ßto
Kann ich damit fahren?	Posso guidare così?	po'ß-ßo guida're kosi'
Können Sie das (gleich, bis ...) reparieren?	Può ripararlo (subito, entro ...)?	puo' ripara'rlo (ßu'bito, e'ntro ...)
Machen Sie bitte nur die nötigsten Reparaturen.	Faccia solo le riparazioni più urgenti.	fa'tscha ßo'lo le riparatßjo'ni pju' urdsche'nti
Der Kühler ist undicht.	Il radiatore perde.	il radjato're pä'rde
Der Auspuff hat ein Loch.	Lo scappamento ha un buco.	lo ßkap-pame'nto a un bu'ko
Die Kontrollampe leuchtet.	La spia rimane accesa.	la ßpi'a rima'ne at-tsche'sa
Der Motor zieht nicht.	Il motore non tira.	il moto're non ti'ra
– stottert / klopft.	– sobbalza / dà colpi.	ßob-ba'ltßa / da' ko'lpi
– geht im Leerlauf aus.	– si spegne in folle.	ßi ßpe'nje in fo'l-le
– springt nicht (schwer) an.	– non si avvia (con difficoltà)	non ßi a'w-wja (kon dif-fikolta')
Aus dem Getriebe tropft Öl.	Dal cambio esce olio.	dal ka'mbjo ä'sche o'ljo
Das Türschloß klemmt.	La serratura è bloccata.	la ßer-ratu'ra ä' blok-ka'ta
Die Bremsen ziehen nach rechts (links).	I freni tirano a destra (sinistra).	i fre'ni ti'rano a'dä'ßtra (ßini'ßtra)
Der 2. Gang springt heraus.	La seconda marcia salta fuori.	la ßeko'nda ma'rtscha ßa'lta fuo'ri

Wortliste

Anlasser	l'avviatore	law-wjato're
Auspuff	lo scappamento	lo ßkap-pame'nto
Benzintank	il serbatoio	il ßerbato'jo
Blinker	il lampeggiatore	il lampedschato're
Bremsen	i freni	i fre'ni
Bremslicht	il fanalino dei freni	il fanali'no de'i fre'ni
Gangschaltung	il cambio	il ka'mbjo
Hupe	il clacson	il klakßo'n
Kabel	il cavo	il ka'wo
Keilriemen	la cinghia	la tschi'ngja
Kontrollampe	la spia	la ßpi'a
Kupplung	la frizione	la fritßjo'ne
Lenkung	lo sterzo	lo ßtä'rtßo
Lichtmaschine	la dinamo	la di'namo
Original-Ersatzteil	il pezzo di ricambio originale	il pe'z-zo di rika'mbjo oridschina'le
Rücklicht	la luce posteriore	la lu'tsche poßterjo're
Rückspiegel	lo specchietto retrovisore	lo ßpekje't-to retrowiso're
Rückwärtsgang	la retromarcia	la retroma'rtscha
Scheibenwischer	i tergicristalli	i terdschikrißta'l-li
Scheinwerfer	i fari	i fa'ri
Stoßdämpfer	il paraurto	il parau'rto
Vergaser	il carburatore	il karburato're
Windschutzscheibe	il parabrezza	il para'bret-tßa
Zündkerze	la candela	la kande'la
Zündschlüssel	la chiave di accensione	la kja'we di atschenßjo'ne
Zündung	l'accensione	latschenßjo'ne

Bus-, Bahn-, Flug- und Schiffsreisen

Im Reisebüro

Wie komme ich am besten nach ...?	Qual è la strada migliore per arrivare a ...?	kualä' la ßtra'da miljo're per ar-riwa're a'
Fährt am Sonntag ein Zug *(Bus, Schiff)* nach ...?	C'è un *treno (autobus, nave)* la domenica per ...?	tschä' un trä'no (a'uto-buß, na'we) la dome'ni-ka per ...
Gibt es eine (Auto-) Fähre nach ...?	C'è un traghetto (per auto) per ...?	tschä' un trage't-to (per a'uto) per ...
Fährt der *Bus (Zug)* direkt nach ...?	L'*autobus (il treno)* è diretto per ...?	la'utobuß (il trä'no) ä' dire't-to per ...
Muß ich umsteigen?	Devo cambiare?	de'wo kambja're
Bitte für den Zug nach ...	Per piacere, per il treno per ...	per pjatsche're per il trä'no per ...
– eine einfache Fahrt.	– solo andata.	ßo'lo anda'ta
– eine Rückfahrkarte.	– un'andata e ritorno.	unanda'ta e rito'rno
– eine Platzkarte.	– una prenotazione per un posto.	u'na prenotatßjo'ne per un po'ßto
– eine Liegewagenkarte.	– una cuccetta.	u'na kutsche't-ta
– eine Schlafwagen-karte.	– un biglietto per il vagone letto.	un bilje't-to per il wago'ne le't-to
Ich möchte einen Flug nach ... buchen am ...	Vorrei prenotare un volo per ... il ...	wor-rä'i prenota're un wo'lo per ... il ...
Ich möchte einen Flug *annulieren (bestätigen)*.	Vorrei *annullare (confermare)* un volo.	wor-rä'i an-nul-la're (konferma're) un wo'lo
Gibt es auch Charter-flüge?	Ci sono anche voli charter?	tschi ßo'no a'nke wo'li tscha'rter
Fährt ein Autoreisezug nach ...?	C'è un treno autocuccette per ...?	tschä' un trä'no autokut-sche't-te per ...
Schreiben Sie mir bitte die Abfahrts- und An-kunftszeiten auf.	Mi scriva per piacere l'orario di partenza e di arrivo.	mi ßkri'wa per pjatsche're lora'rjo di partä'ntßa e di ar-ri'wo
Ich möchte eine *Kreuz-fahrt (Rundfahrt)* machen.	Vorrei fare *una crociera (un giro)*.	wor-rä'i fa're u'na krotsche'ra (un dschi'ro)
Bitte eine Einzelkabine.	Per piacere una cabina singola.	per pjatsche're una kabi'na ßi'ngola
– eine Zweibett-kabine.	– una cabina doppia.	u'na kabi'na do'p-pja
– eine Innenkabine.	– una cabina interna.	u'na kabi'na intä'rna
– eine Außenkabine.	– una cabina esterna.	u'na kabi'na eßtä'rna
Wie komme ich zum Bahnhof *(Flugplatz, Hafen)*?	Qual è la strada per *la sta-zione (l'aeroporto, il porto)*?	kualä' la ßtra'da per la ßtatßjo'ne (laeropo'rto, il po'rto)
Wann muß ich dort sein?	A che ora devo essere là?	a ke o'ra de'wo ä'ß-ßere la'

Mit dem Bus

Wo hält der Bus nach ...?	Dove si prende l'autobus per ...?	do'we ßi prä'nde la'utobuß per ...
Fährt dieser Bus nach ...?	Questo autobus va a ...?	kue'ßto a'utobuß wa'a ...
Wann fährt *ein (der er-ste, der letzte)* Bus nach ...?	Quando parte *un (il primo, l'ultimo)* autobus per ...?	kua'ndo pa'rte un (il pri'mo, lu'ltimo) a'uto-buß per ...

Auf dem Bahnhof / Im Zug

Ich möchte diesen Koffer nach ... aufgeben.	Vorrei consegnare questa valigia per ...	wor-rä'i konßenja're kue'ßta wali'dscha per
Wo sind die Schließfächer?	Dove sono gli armadietti deposito bagagli?	do'we ßo'no lji armadje't-ti depo'sito baga'lji
Ist das der Zug nach ...?	Questo è il treno per ...?	kue'ßto ä' il trä'no per
Wo kommt der Zug aus ... an?	Dove arriva il treno da ...?	do'we ar-ri'wa il trä'no da ...
Hat der Zug (aus ...) Verspätung?	E' in ritardo il treno (da ...)?	ä' in rita'rdo il trä'no (da)
Verzeihung, ist dieser Platz frei?	Scusi, è libero questo posto?	ßku'si, ä' li'bero kue'ßto po'ßto
Das ist mein Platz.	Questo è il mio posto.	kue'ßto ä' il mi'o po'ßto
Darf ich das Fenster öffnen (schließen)?	Posso aprire (chiudere) il finestrino?	po'ß-ßo apri're (kju'dere) il finestri'no
Hat dieser Zug einen Speisewagen?	In questo treno c'è la carrozza ristorante?	in kue'ßto trä'no tscha' la kar-ro'tßa rißtora'nte
Sind wir pünktlich in ...?	Arriveremo in tempo a ...?	ar-riwere'mo in tä'mpo a ...

ACQUA NON POTABILE	Kein Trinkwasser
AI BINARI	Zu den Bahnsteigen
ARMADIETTI DEPOSITO BAGAGLI	Schließfächer
ARRIVI / PARTENZE	Ankunft / Abfahrt
BINARIO	Bahnsteig, Gleis
CARROZZA RISTORANTE	Speisewagen
CUCCETTA	Liegewagen
INFORMAZIONI	Auskunft
LAVABO	Waschräume
OCCUPATO / LIBERO	Besetzt / frei
ORARIO DEI TRENI	Fahrplan
RINFRESCHI	Erfrischungen
SALA D'ASPETTO	Wartesaal
SEGNALE D'ALLARME	Notbremse
SOTTOPASSAGGIO	Unterführung
USCITA	Ausgang
VAGONE LETTO	Schlafwagen

Auf dem Flughafen / Im Flugzeug

Wo ist der Schalter der Lufthansa?	Dov'è lo sportello della Lufthansa?	dowä' lo ßporte'l-lo de'l-la Lufthansa
Kann ich das als Handgepäck mitnehmen?	Posso prendere questo come bagaglio a mano?	po'ß-ßo prä'ndere kue'ßto ko'me baga'ljo a ma'no
Bitte einen Platz am Gang (Fenster).	Per favore un posto in corsia (vicino al finestrino).	per fawo're, un po'ßto in korßi'a (witschi'no al fineßtri'no)
Raucher / Nichtraucher	Fumatori / Non fumatori	fumato'ri / non fumato'ri

18

Wo kann man zollfreie Waren kaufen?	Dove si può comprare merce esente da tasse?	do'we ßi puo' kompra're mä'rtsche ese'nte da ta'ß-ße
Wo ist der *Informations-schalter (Ausgang B)*?	Dov' è *lo sportello delle informazioni (l'uscita B)*?	dowä' lo ßporte'l-lo de'l-le informatßjo'ni (luschi'ta bi)
Eine Reisetasche fehlt.	Manca una borsa da viaggio.	ma'nka una bo'rßa da wja'dscho
Dieser Koffer ist beschädigt.	Questa valigia è danneg-giata.	kue'ßta wali'dscha ä' dan-nedscha'ta
Wo fährt der Bus *in die Stadt (zum Hotel ...)* ab?	Da dove parte l'autobus per *il centro (l'albergo ...)*?	da do'we pa'rte la'uto-buß per il tsche'ntro (lal-ber'go)
Hat die Maschine nach ... Verspätung?	L'aereo per ... è in ritardo?	laä'reo per ... ä' in rita'rdo
Ist die Maschine aus ... schon gelandet?	L'aereo da ... è già arrivato?	laä'reo da ... ä dscha' ar-riwa'to
Wo sind wir jetzt?	Dove siamo adesso?	do'we ßja'mo ade'ß-ßo
Welche Stadt ist das?	Che città è questa?	ke tschit-ta' ä' kue'ßta
Was ist das für ein *Fluß (See, Gebirge)*?	Che *fiume (lago, monte)* è?	ke fju'me (la'go, mo'nte) ä'
Mir ist schlecht.	Sto male.	ßto' ma'le
Bringen Sie mir bitte ...	Mi porti per favore ...	mi po'rti per fawo're ...
– ein Glas Wasser.	– un bicchiere d'acqua	un bik-kjä're da'kua
– eine Kopfschmerzta-blette.	– una compressa contro il mal di testa.	una komprä'ß-ßa ko'ntro il mal di tä'ßta
– ein Mittel gegen Luft-krankheit.	– qualcosa contro il mal d'aria.	kualko'sa ko'ntro il mal da'ria
Würden Sie Ihre Rük-kenlehne etwas nach vorn stellen?	Potrebbe spostare in avanti il suo schienale, per favore?	potre'b-be ßpoßta're in awa'nti il ßu'o ßkjena'le per fawo're

ALLACCIARE LE CINTURE	**Anschnallen bitte!**
ARRIVI	**Ankunft**
BANCO ACCETTAZIONE	**Abfertigungsschalter**
DOGANA	**Zoll**
PARTENZE	**Abflug**
PUNTO D'INCONTRO	**Treffpunkt**
USCITA / PORTA	**Ausgang / Tor**
VIETATO FUMARE	**Rauchen verboten**

Im Hafen / An Bord

Wann fährt *ein Schiff (ein Tragflügelboot, eine Fähre)* nach ...?	Quando parte *una nave (un aliscafo, un traghetto)* per ...?	kua'ndo pa'rte una na'we (un alißka'fo, un trage't-to) per ...
Ich möchte eine Karte für die Rundfahrt um ... Uhr.	Vorrei un biglietto per il giro delle ore ...	wor-rä'i un bilje't-to per il dschi'ro de'l-le o're ...
Fährt dieses Schiff nach ...?	Questa nave va a ...?	kue'ßta na'we wa' a ...
Wo liegt die „..."?	Dov'è la "..."?	dowä' la ...
Wie lange dauert die Überfahrt?	Quanto tempo dura la traversata?	kua'nto te'mpo du'ra la trawerßa'ta

Wann legen wir an?	Quando facciamo scalo?	kua'ndo fatscha'mo ßka'lo
Wie lange haben wir Aufenthalt?	Quanto abbiamo di sosta?	kua'nto ab-bja'mo di ßo'ßta
Werden Landausflüge veranstaltet?	Sono previste delle escursioni a terra?	ßo'no prewi'ßte de'l-le eßkurßjo'ni a tä'r-ra
Haben Sie ein Mittel gegen Seekrankheit?	Ha una medicina contro il mal di mare?	a u'na meditschi'na ko'ntro il mal di ma're
Ich suche...	Cerco...	tsche'rko...
– die Kabine Nr. ...	– la cabina numero ...	la kabi'na nu'mero ...
– das Parkdeck	– il ponte di parcheggio	il po'nte di parke'd-dscho
– den Schiffsarzt.	– il medico di bordo	il me'diko di bo'rdo

Wortliste

Deck	la coperta	la kopä'rta
Deckoffizier	l'ufficiale di coperta . . .	l'uf-fitscha'le di kopä'rta
Hafen.	il porto	il po'rto
Kapitän	il capitano.	il kapita'no
Liegestuhl	la sedia a sdraio	la ße'dja a sdra'jo
Promenadendeck	il ponte di passeggio . . .	il po'nte di paß-ße'd-dscho
Rettungsboot	la scialuppa di salvataggio	la schalu'p-pa di ßalwata'd-dscho
Rettungsring.	il salvagente	il ßalwadsche'nte
Schwimmweste	il giubbetto di salvataggio	il dschub-be't-to di ßalwata'd-dscho
Seegang.	la mareggiata.	la mared-dscha'ta
Steward	il cameriere	il kamerjä're
Wellen	le onde	le o'nde

Grenz- und Zollformalitäten

CONTROLLO DOGANALE	Zollkontrolle
CONTROLLO PASSAPORTI	Paßkontrolle
DOGANA	Zoll
FRONTIERA	Grenze
MERCE SOGGETTA A TASSA DOGANALE	Zollpflichtige Waren
NIENTE DA DICHIARARE	Nichts zu verzollen

*Ihren Paß, bitte!	Il Suo passaporto, per favore!	il ßu'o pa'ß-ßapo'rto, per fawo're
*Ihre Papiere, bitte!	I Suoi documenti, per favore!	i ßuo'i dokume'nti, per fawo're
Ich gehöre zur Reisegruppe von ...	Faccio parte del gruppo di ...	fa'tscho pa'rte del gru'p-po di ...
Die Kinder sind in meinem Paß eingetragen.	I bambini sono registrati nel mio passaporto.	i bambi'ni ßo'no redschißtra'ti nel mi'o paß-ßapo'rto

20

Ich bleibe *eine Woche* (bis zum ...)	Rimango *una settimana* (fino a ...)	rima'ngo u'na ßettima'na (fi'no a ...)
Ich bin auf *Geschäfts-reise (Urlaubsreise)*.	Sono in *viaggio per affari (in vacanza)*.	ßo'no in wja'dscho per af-fa'ri (in waka'ntße)
Ich möchte mit meinem Konsulat telefonieren.	Vorrei parlare con il mio Consolato.	wor-rä'i parla're kon il mi'o konßola'to
Hier ist *der Impfpaß (die Bescheinigung)* für *den Hund (die Katze)*.	Ecco *il libretto di vacci-nazione (l'attestato)* per *il cane (il gatto)*.	äk-ko il libre't-to di wat-tschinatßjo'ne (lat-teßta'to) per il ka'ne (il ga't-to)
Ich habe nichts zu ver-zollen.	Non ho niente da dichiarare.	non o' nje'nte da dikjara're
Ich habe nur Sachen für den persönlichen Bedarf.	Ho solo oggetti per il fabbisogno personale.	o' ßo'lo odscha't-ti per il fab-biso'njo perßona'le
Ich habe nur ein *paar Geschenke (Reise-andenken)*.	Ho solo alcuni *regali (souvenir)*.	o' ßo'lo alku'ni rega'li (ßuweni'r)
Muß ich das verzollen?	Devo sdoganare questo?	de'wo ßdogana're kue'ßto

---

Polizei

Wo ist die nächste Poli-zeistelle?	Dove è il commissariato di polizia più vicino?	dowä' il kom-miß-ßarja'to di politßi'a pju' witschi'no
Man hat mir ... ge-stohlen.	Mi è stato rubato ...	mi ä' ßta'to ruba'to ...
Ich habe ... verloren	Ho perso ...	o'pärßo ...
– meine Brieftasche	– il portafoglio	il portafo'ljo
– meinen Fotoapparat	– la mia macchina fotografica	la mi'a ma'k-kina fotogra'fika
– mein Geld	– i soldi	i ßo'ldi
– meine Handtasche	– la mia borsetta	la mi'a borße't-ta
– meine Papiere	– i miei documenti	i mie'i dokume'nti
– meine (Reise-) Schecks.	– i miei travellers' cheque	i mie'i tra'wel-lers tsche'k
– meinen Ring	– il mio anello	il mi'o ane'l-lo
– meinen Schirm	– il mio ombrello	il mi'o ombre'l-lo
– meine Scheckkarte	– la mia carta assegno	la mi'a ka'rta aß-ße'njo
– meine Uhr	– il mio orologio	il mi'o orolo'dscho
Mein *Auto (Fahrrad)* ist gestohlen worden.	La mia *macchina (bicicletta)* è stata rubata.	la mi'a ma'k-kina (bitschikle't-ta) ä' sta'ta ruba'ta
Mein Auto ist *aufgebro-chen (beschädigt)* worden.	La mia macchina è stata *scassinata (danneg-giata)*.	la mi'a ma'k-kina ä' ßta'ta ßkaß-ßina'ta (dan-nedscha'ta)
Ich bin *beraubt (nieder-geschlagen)* worden.	Sono stato *derubato (picchiato)*.	ßo'no ßta'to deruba'to (pik-kja'to)
... ist verschwunden.	... è sparito.	... ä' ßpari'to
Ich möchte ... anzeigen	Vorrei denunciare ...	wo'r-rä'i denuntscha're
– eine Entführung	– un sequestro	un ßekuä'ßtro
– einen Überfall	– un'aggressione	un ag-greß-ßjo'ne
– eine Vergewaltigung	– un atto di violenza carnale.	un a't-to di wiole'ntßa karna'le

Ich möchte einen Unfall melden.	Vorrei dichiarare un incidente.	wor-rä'i dikjara're un intschide'nte
Ich möchte mit *einem Anwalt (meinem Konsulat)* sprechen.	Vorrei parlare con *un avvocato (il mio consolato)*.	wor-rä'i parla're kon un aw-woka'to (il mi'o konßola'to).
Ich bin unschuldig.	Non sono colpevole.	non ßo'no kolpe'wole
Ich habe damit nichts zu tun.	Non c'entro proprio.	non tsche'ntro pro'prio

Bank / Geldwechsel

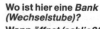

Wo ist hier eine *Bank (Wechselstube)?*	Dov'è una *banca (agenzia cambio)?*	dowä' una ba'nka (adschentßi'a ka'mbjo)
Wann öffnet *(schließt)* die Bank?	A che ora *apre (chiude)* la banca?	a ke o'ra a'pre (kju'de) la ba'nka?
Ich möchte 200 DM in Lire umwechseln	Vorrei cambiare duecento marchi in Lire	wor-rä'i kambja're due-tsche'nto ma'rki in li're
– 1000 ÖS	– mille scellini austriachi	mi'lle schel-li'ni austri'aki
– 100 SF	– cento franchi svizzeri	tsche'nto fra'nki swi'tßeri

Ich möchte mir Geld auf Ihre Bank überweisen lassen.	Vorrei farmi accreditare dei soldi presso la Vostra banca.	wor-rä'i fa'rmi ak-kredita're de'i ßo'ldi pre'ß-ßo la wo'ßtra ba'nka
Ist Geld für mich eingegangen?	Sono arrivati dei soldi per me?	ßo'no ar-riwa'ti de'i ßo'ldi per me'
Ich möchte diesen Scheck einlösen.	Vorrei scambiare questo assegno.	wor-rä'i ßkambja're kue'ßto aß-ße'njo
Hier ist meine Scheckkarte.	Ecco la mia carta assegno.	e'k-ko la mi'a ka'rta aß-ße'njo
Geben Sie mir bitte auch etwas kleineres Geld.	Mi dia per piacere anche della moneta.	mi di'a per pjatsche're a'nke de'l-la mone'ta

CAMBIO	Geldwechsel, Wechselkurse
CARTA D'IDENTITÀ	Ausweis
CASSA	Kasse
CASSA DI RISPARMIO	Sparkasse
CORSO DELLE VALUTE	Wechselkurs
SPORTELLO	Schalter
VALUTE ESTERE	Devisen

Post / Telefon

Wo ist ...	Dov'è ...	dowä' ...
– das nächste Postamt?	– l'ufficio postale più vicino?	luf-fi'tscho poßta'le pju' witschi'no
– die nächste Telefonzelle?	– la cabina telefonica più vicina?	la kabi'na telefo'nika pju' witschi'na

Deutsch	Italienisch	Aussprache
Ich suche einen Briefkasten.	Cerco una buca delle lettere.	tsche'rko u'na bu'ka de'l-le le't-tere
Bitte 3 Briefmarken für *Karten (Briefe)* nach Deutschland.	Per piacere tre francobolli per *cartoline (lettere)* per la Germania.	per pjatsche're tre' frankobo'l-li per kartoli'ne (le't-tere) per la dscherma'nia
Diesen Brief bitte ...	Questa lettera, per favore ...	kue'ßta le't-tera, per fawo're ...
– mit Luftpost.	– per via aerea.	per wi'a aä'rea
– per Einschreiben.	– per raccomandata.	per rak-komanda'ta
– per Express.	– per espresso.	per eßpräß-ßo
Ich möchte dieses *Paket (Päckchen)* aufgeben.	Vorrei spedire questo *pacco (pacchetto)*.	wor-rä'i ßpedi're kue'ßto pa'k-ko (pak'ke't-to)
Haben Sie auch Sondermarken?	Avete dei francobolli per la raccolta?	awe'te de'i frankobo'l-li per la rak-ko'lta
Diesen Briefmarkensatz, bitte.	Questa serie di francobolli, per piacere.	kue'ßta ße'rje di frankobo'l-li, per pjatsche're
Ich möchte *Geld (... DM)* von meinem Postsparbuch abheben.	Vorrei prelevare dei *soldi (... marchi)* dal mio libretto postale.	wor-rä'i prelewa're de'i ßo'ldi (ma'rki) dal mi'o libre't-to poßta'le
Ist Post für mich da?	C'è della posta per me?	tschä' de'l-la po'ßta per me'
Mein Name ist ...	Mi chiamo ...	mi kja'mo ...
Ich möchte ein Telegramm nach ... aufgeben.	Vorrei mandare un telegramma a ...	wor-rä'i manda're un telegra'm-ma a ...
Was kosten 10 Wörter?	Quanto costano dieci parole?	kua'nto ko'ßtano diä'tschi paro'le
Kommt das Telegramm heute noch an?	Il telegramma arriva entro oggi?	il telegra'm-ma ar-ri'wa e'ntro o'd-dschi
Wo ist die nächste Telefonzelle?	Dove è la cabina telefonica più vicina?	dowä' la kabi'na telefo'nika pju' witschi'na
Können Sie bitte wechseln? Ich brauche ein paar ...-Stücke.	Può cambiare per piacere? Mi servono alcune monete da ...	puo' kambja're per pjatsche're mi ße'rwono alku'ne mone'te da ...
Das Telefonbuch, bitte.	L'elenco telefonico, per piacere.	lele'nko telefo'niko, per pjatsche're
Kann man nach ... durchwählen?	Si può chiamare direttamente per ...?	ßi puo' kjama're diretta-me'nte per ...
Wie ist die Vorwählnummer von ...?	Come è il prefisso di ...?	ko'me ä' il prefi'ß-ßo di ...
Bitte ein Ferngespräch nach ...	Per piacere una interurbana per ...	per pjatsche're u'na interurba'na per ...
Muß ich lange warten?	Devo aspettare molto?	de'wo aßpet-ta're mo'lto
Ab wieviel Uhr gilt der Nachttarif?	A che ora comincia la tariffa notturna?	a ke o'ra komi'ntscha la tari'f-fa not-tu'rna
Die Leitung ist besetzt.	La linea dà occupato.	la li'nea da' ok-kupa'to
Es meldet sich niemand.	Non risponde nessuno.	non rißpo'nde neß-ßu'no
Hallo!	Pronto!	pro'nto
Wer ist am Apparat?	Chi parla?	ki pa'rla
Kann ich bitte *Herrn (Frau, Fräulein)* ... sprechen?	Posso parlare con *il Signor (la Signora, la Signorina)* ...?	po'ß-ßo parla're kon il ßinjo'r (la ßinjo'ra, la ßinjori'na) ...

23

Hotel und Pension

Wie komme ich zum Hotel ...?	Per arrivare all'hotel ...?	per ar-riwa're allotä'l ...
Für mich ist hier ein Zimmer reserviert.	C'è una camera riservata per me.	tschä' u'na ka'mera riserwa'ta per me'
Haben Sie ein *Einzelzimmer (Doppelzimmer)* frei?	Ha una camera *singola (doppia)* libera?	a' u'na ka'mera ßi'ngola (do'p-pja) li'bera
– für eine Nacht / Woche	– per una notte / settimana.	per u'na no't-te / set-tima'na
– für 2 Tage	– per due giorni	per du'e dscho'rni
– mit Dusche / WC	– con doccia / servizi	kon do't-tscha / ßerwi'zi
– mit Bad / Balkon	– con bagno / balcone	kon ba'njo / balko'ne
– mit Blick aufs Meer	– con vista sul mare	kon wi'ßta sul ma're
– nach hinten hinaus	– sul di dietro	ßul di djä'tro
Kann ich das Zimmer ansehen?	Posso vedere la camera?	po'ß-ßo wede're la ka'mera
Können Sie mir noch ein anderes Zimmer zeigen?	Può farmi vedere anche un'altra camera?	puo' fa'rmi wede're a'nke una'ltra ka'mera
Es ist sehr schön.	E' molto bella.	ä' mo'lto bä'l-la
Ich nehme es.	La prendo.	la pre'ndo
Was kostet das Zimmer pro *Tag (Woche)*?	Quanto costa la camera *al giorno (alla settimana)*?	kua'nto ko'ßta la ka'-mera al dscho'rno (a'l-la set-tima'na)
– *mit (ohne)*	– *con (senza)*	kon (ßä'ntßa)
– Frühstück	– colazione	kolatßjo'ne
– Halbpension	– mezza pensione	mä'd-dsa penßjo'ne
– Vollpension	– pensione completa	penßjo'ne komple'ta
Ist alles inbegriffen?	È tutto compreso?	ä' tu't-to kompre'so
Gibt es eine Ermäßigung für Kinder?	C'è una riduzione per bambini?	tschä' u'na riduzjo'ne per bambi'ni
Können Sie ein Kinderbett in das Zimmer stellen?	Può aggiungere un letto per il bambino nella camera?	puo' adschu'ndschere un le't-to per il bambi'no ne'l-la ka'mera
Können Sie das Gepäck holen lassen?	Può fare ritirare il bagaglio?	puo' fa're ritira're il baga'ljo
Es ist *auf dem Bahnhof (am Flugplatz, im Auto)*.	E' *alla stazione (all'aeroporto, in macchina)*	ä' a'l-la ßtatßjo'ne (al-laäropo'rto, in ma'k-kina)
Brauchen Sie *meinen Paß (unsere Pässe)*?	Ha bisogno *del mio passaporto (dei nostri passaporti)*?	a' biso'njo del mi'o paß-ßapo'rto (de'i no'ß-tri paß-ßapo'rti)
Haben Sie *einen Parkplatz (eine Garage)*?	C'è un *parcheggio (un garage)*?	tschä' un parke'd-dscho (un gara'sch)
Können Sie diese *Wertsachen (Papiere)* aufbewahren?	Può prendere in custodia questi *oggetti di valore (documenti)*?	puo' prä'ndere in kußto'-dja kue'ßti odsche't-ti di walo're (dokume'nti)
Wann sind die Essenszeiten?	A che ora si mangia?	a ke o'ra ßi ma'ndscha
Haben Sie Briefmarken?	Ha dei francobolli?	a de'i frankobo'l-li
Kann ich bei Ihnen *Geld umtauschen (Euroschecks einlösen)*?	Posso *cambiare i soldi* qui *(scambiare gli assegni)*?	po'ß-ßo kambja're i ßo'ldi kui' (ßkambja're lji aß-ßenji)

Wecken Sie mich bitte morgen früh um … Uhr.	Mi svegli per piacere domani mattina alle ore …	mi ßwe'lji per pjatsche're doma'ni mat-ti'na a'l-le o're …
Ist Post für mich da?	C'è posta per me?	tschä' po'ßta per me
Können Sie mir noch eine Decke (ein Kopfkissen, ein paar Kleiderbügel) bringen?	Può portarmi *un'altra coperta (un cuscino, alcuni attaccapanni)?*	puo' porta'rmi una'ltra kopä'rta (un kuschi'no, alku'ni at-tak-kapa'n-ni)
Die Dusche funktioniert nicht.	La doccia non funziona.	la do't-tscha non funtßjo'na
Der Wasserhahn tropft.	Il rubinetto perde.	il rubine't-to pä'rde
Das Licht brennt nicht.	La luce non si accende.	la lu'tsche non ßi at-tsche'nde
Der Abfluß ist verstopft.	Lo scarico è otturato.	lo ßka'riko ä' ot-tura'to
Es kommt kein (warmes) Wasser.	Non viene acqua (calda).	non wjä'ne a'kua (ka'lda)
Den Schlüssel Nummer …, bitte.	La chiave numero …, per favore.	la kja'we nu'mero …, per fawo're
Ich habe meinen Schlüssel *im Zimmer liegenlassen (verloren).*	Ho *dimenticato* la mia chiave in camera *(perso la chiave).*	o' dimentika'to la mi'a kja'we in ka'mera (o' pä'rßo la kja'we)
Aus meinem Zimmer ist … gestohlen worden.	Nella mia camera è stato rubato …	ne'l-la mi'a ka'mera ä' ßta'to ruba'to …
Wir reisen morgen ab.	Partiremo domani.	partire'mo doma'ni
Machen Sie bitte die Rechnung fertig.	Prepari la fattura per piacere.	prepa'ri la fat-tu'ra per pjatsche're
Es war sehr schön hier.	E' stato molto bello qui.	ä ßta'to mo'lto bä'l-lo kui'
Ich komme (Wir kommen) nächstes Jahr wieder.	*Io ritorno (Ritorniamo)* anche l'anno prossimo.	i'o rito'rno (ritornja'-mo) a'nke la'n-no pro'ßßimo
Kann ich den Koffer noch bis 16 Uhr hierlassen?	Posso lasciare qui la valigia fino alle ore sedici?	po'ß-ßo lascia're kui' la wali'dscha fi'no a'l-le o're ße'ditschi
Rufen Sie bitte ein Taxi.	Chiami un taxi per favore.	kja'mi un ta'kßi per fawo're

Wortliste

Aschenbecher	il portacenere	il portatsche'nere
Bettwäsche	la lenzuola	la lendsuo'la
Fahrstuhl	l'ascensore	laschenßo're
Fenster	la finestra	la fine'ßtra
Glühbirne	la lampadina	la lampadi'na
Handtuch	l'asciugamano	laschugama'no
Heizung	il riscaldamento	il rißkaldame'nto
Klingel	il campanello	il kampane'l-lo
Kühlschrank	il frigorifero	il frigori'fero
Lampe	il lampadario	il lampada'rjo
Lichtschalter	l'interruttore	linter-rut-to're
Liegestuhl	la sedia a sdraio	la ße'dja a sdra'jo
Schlüssel	la chiave	la kja'we
Schrank	l'armadio	larma'djo
Steckdose	la presa di corrente	la pre'sa di kor-re'nte
Toilette	il gabinetto	il gabine't-to
Toilettenpapier	la carta igienica	la ka'rta idschä'nika
Trinkgeld	la mancia	la ma'ntscha
Tür	la porta	la po'rta
Vorhang	la tenda	la te'nda
Waschbecken	il lavandino	il lawandi'no
Wasserglas	il bicchiere d'acqua	il bik-kjä're da'kua

Jugendherberge und Camping

Gibt es hier *eine* Jugendherberge *(einen Campingplatz)?*	C'è un *ostello (campeggio)* qui vicino?	tschä' unoßtä'l-lo (kampe'd-dscho) kui' witschi'no
Sind Sie der Platzwart?	Lei è il sorvegliante?	lä'i ä'il ßorwelja'nte
Wieviel kostet eine Übernachtung?	Quant'è (il prezzo) per una notte?	kua'nt ä' (il pre't-tßo) per u'na no't-te
Haben Sie noch Platz für *ein Zelt (einen Wohnwagen)?*	C'è posto per una *tenda (roulotte)?*	tschä' po'ßto per u'na te'nda (u'na rulo'tt)
Wie hoch ist die Gebühr – pro Person und Tag?	Quant'è la tariffa – per persona al giorno?	kuantä' la tari'f-fa per perßo'na al dscho'rno
– für den Wohnwagen?	– per la roulotte?	per la rulo'tt
– für das *Auto (Zelt)?*	– per *l'auto (la tenda)?*	per la'uto (la te'nda)
Vermieten Sie auch Bungalows?	Affittate anche bungalows?	af-fit-ta'te a'nke bu'ngalos
Wir bleiben ... *Tage (Wochen).*	Rimaniamo ... *giorni (settimane).*	rimanja'mo ... dscho'rni (ßet-tima'ne)
Wo sind die *Toiletten (Waschräume)?*	Dove sono le *toilettes (docce)?*	do'we ßo'no le tuale'tt (do't-tsche)
Gibt es Stromanschluß für Wohnwagen?	C'è il raccordo elettrico per la roulotte?	tschä' il rak-ko'rdo elä't-triko per la rulo'tt
Kann ich hier Gasflaschen umtauschen?	Posso restituire qui le bombole di gas vuote?	po'ß-ßo reßtitui're kui' le bo'mbole di gas wuo'te
Ist der Platz nachts bewacht?	Il posto è sorvegliato di notte?	il po'ßto ä' ßo'rwelja'to di no't-te
Gibt es hier in der Nähe ein Lebensmittelgeschäft?	C'è qui vicino un negozio di alimentari?	tschä' kui' witschi'no un nego'tßjo di alimenta'ri
Könnten Sie mir bitte ... leihen?	Potrebbe imprestarmi ...?	poträ'b-be impreßta'rmi ...
Wo kann man ...?	Dove si può ...?	do'we ßi puo'
Wo ist ...?	Dov'è ...?	dowä'

Wortliste

baden	fare il bagno	fare il ba'njo
bekommen	ricevere	ritsche'were
Benutzungsgebühr	la tariffa per l'uso	la tari'f-fa per lu'so
bügeln	stirare	ßtira're
Campingausweis	la tessera campeggio	la te'ß-ßera kampe'd-dscho
Eßgeschirr	le stoviglie	le ßtowi'lje
Herbergsausweis	la tessera-ostello	la te'ß-ßera oßtä'l-lo
kochen	cucinare	kutschina're
Kochgeschirr	le pentole	le pä'ntole
Kochstelle	il fornello	il forne'l-lo
Leihgebühr	la tassa di noleggio	la ta'ß-ßa di nole'd-dscho
Luftmatratze	il materassino	il materaß-ßi'no
Mitgliedskarte	la tessera	la te'ß-ßera
parken	parcheggiare	parked-dscha're
Schlafraum	il dormitorio	il dormito'rjo
Schlafsack	il sacco a pelo	il ßa'k-ko a pe'lo
Trinkwasser	l'acqua potabile	la'kua pota'bile
waschen	lavare	lawa're
zelten	campeggiare	kamped-dscha're

Essen und Trinken

Im Hotel

Wo ist der *Frühstücksraum (Speisesaal)?*	Dov'è la *saletta per la prima colazione (sala da pranzo)?*	dowä' la ßale't-ta per la pri'ma kolatßjo'ne (ßa'la da pra'ndso)
Können wir auf dem Zimmer frühstücken?	Possiamo fare colazione in camera?	poß-ßja'mo fa're kolatßjo'ne in ka'mera
Kann ich morgen schon um 6 Uhr frühstücken?	Domani posso fare colazione già alle sei?	doma'ni po'ß-ßo fa're kolatßjo'ne dscha' a'l-le ßä'i
Kann ich noch etwas zu essen bekommen?	Posso avere ancora qualcosa da mangiare?	po'ß-ßo awe're anko'ra kualko'sa da mandscha're
Was gibt es heute?	Che cosa c'è oggi?	ke ko'sa tschä' o'd-dschi
Wir möchten einen anderen Tisch.	Vorremmo un altro tavolo.	wor-re'm-mo una'ltro ta'wolo

Frühstück

Brot.	il pane	il pa'ne
ein Brötchen	un panino	un pani'no
Butter	il burro.	il bu'r-ro
Honig.	il miele	il mje'le
Hörnchen	il brioche	il brjo'sch
Kaffee	il caffè	il kaf-fä'
– schwarz	– nero	ne'ro
– mit Milch	– con latte	kon la't-te
– koffeinfreier.	– senza coffeina.	ße'ntßa kof-fei'na
Kakao	il cacao.	il kaka'o
Marmelade	la marmellata	la marmel-la'ta
Milch	il latte	il la't-te
Schokolade	la cioccolata	la tschok-kola'ta
Tee	il tè	il tä'
– mit Zitrone.	– con limone	kon limo'ne
Toast	il toast	il to'ßt
Zucker.	lo zucchero	lo dsu'k-kero
Zwieback	le fette biscottate	le fe't-te bißkot-ta'te

Restaurant

Können Sie mir ein gutes *Restaurant (Spezialitäten-Restaurant)* empfehlen?	Potrebbe consigliarmi *un buon ristorante (un ristorante che ha specialità)?*	potrǟ'b-be konßilja'rmi un buo'n rißtora'nte (un rißtora'nte ke a' ßpetschalita')
Gibt es hier *eine einfache Gaststätte (ein Selbstbedienungsrestaurant)?*	Qui vicino c'è una *trattoria (un self service)?*	kui' witschi'no tschä' u'na trat-tori'a (un ßelf ße'rwiß)
Ist *dieser Tisch (Platz)* noch frei?	Questo *tavolo (posto)* è libero?	kue'ßto ta'wolo (po'ßto) ä' li'bero
Reservieren Sie bitte für heute abend einen Tisch für 4 Personen.	Vorrei prenotare per questa sera un tavolo per quattro persone.	wor-rä'i prenota're per kue'ßta ße'ra un ta'wolo per kua't-tro perßo'ne
Herr Ober (Fräulein), die Speisekarte bitte!	*Cameriere (Signorina),* il menù per piacere!	kamerjä're (ßinjori'na) il menu' per pjatsche're
Haben Sie auch Kinderportionen?	Avete anche delle porzioni per bambini?	awe'te a'nke de'l-le portßjo'ni per bambi'ni

27

Was können Sie empfehlen?	Che cosa mi consiglia?	ke ko'sa mi konßi'lja
Ich möchte (Wir möchten)...	Vorrei (Vorremmo)...	wor-rä'i (wor-re'm-mo)
– zu Mittag (Abend) essen.	– pranzare (cenare).	prandsa're (tschena're)
– nur etwas trinken.	– solo bere qualcosa.	ßo'lo be're kualko'sa
– nur eine Kleinigkeit essen.	– mangiare solo una piccolezza.	mandscha're ßo'lo u'na pik-kole'tßa
Ich nehme ... (das hier).	Prendo ... (questo qui).	prä'ndo (kue'ßto kui)
Ich möchte mein Steak	Vorrei la bistecca	wor-rä'i la bißte'k-ka
– durchgebraten.	– ben cotta.	be'n ko't-ta
– halb durch (medium).	– al sangue, ma non troppo.	al ßa'ngue, ma non tro'p-po
– englisch.	– al sangue.	al ßa'ngue
Bringen Sie uns bitte ...	Ci porti per favore ...	tschi po'rti per fawo're
– ein Messer	– un coltello	un kolte'l-lo
– eine Gabel.	– una forchetta.	u'na forke't-ta
– einen (Tee-)Löffel.	– un cucchiaino.	un kuk-kjai'no
– einen Teller	– un piatto	un pja't-to
– ein Glas.	– un bicchiere.	un bikkjä're
– eine Serviette.	– una serviette.	u'na ßerwjä't
Das Essen war ausgezeichnet.	E' stato squisito.	ä' ßta'to ßkwisi'to
Zahlen, bitte!	Vorrei pagare.	wor-rä'i paga're
Ich zahle alles zusammen.	Pago tutto insieme.	pa'go tu't-to inßjä'me
Wir zahlen getrennt.	Paghiamo separatamente.	pagja'mo ßeparatame'nte
Es stimmt so.	Va bene così.	wa bä'ne kosi'

Café / Konditorei

Ich hätte gern ...	Vorrei ...	wor-rä'i
– ein Stück Kuchen (Gebäck).	– un pezzo di torta (una pasta).	un pä'tßo di to'rta (u'na pa'ßta)
– ein (gemischtes) Eis.	– un gelato (misto).	un dschela'to (mi'ßto)
– einen (eisgekühlten) Kaffee.	– un caffè (freddo / ghiacciato).	un kaf-fä' (fre'd-do / gjat-tscha'to)
– einen Mokka.	– un espresso.	un eßprä'ß-ßo
– ein Glas heiße (kalte) Milch.	– un bicchiere di latte caldo (freddo).	un bik-kjä're di la't-te ka'ldo (frä'd-do)
– einen Tee mit Rum (Zitrone).	– un tè con il rum (limone).	un tä' kon il ru'm (limo'ne)
– einen Kaffee.	– un caffè.	un kaf-fä'

Wortliste

Café / Konditorei	il Caffè / la pasticceria ..	il kaf-fä' / la paßtit-tscheri'a
Eis	il gelato	il dschela'to
– Erdbeereis.	– gelato alla fragola ...	dschela'to a'l-la fra'gola
– Halbgefrorenes ., ...	– semifreddo	ßemifrä'd-do
– Schokoladeneis	– gelato alla cioccolata .	a'l-la tschok-kola'ta
– Vanilleeis.	– gelato alla vaniglia...	a'l-la wani'lja
Eisbecher..........	la coppa gelato.......	la ko'p-pa dschela'to
Kakao	il cacao............	il kaka'o
Kuchen	la torta	la to'rta
– Obstkuchen.......	la torta di frutta	la to'rta di fru't-ta
– Rosinenbrötchen ...	i panini con uvetta	i pani'ni kon uwä'ta
Gebäck	la pasta...........	la pa'ßta

Schnellimbiß / Snack

Ich möchte bitte ...	Vorrei ...	wor-rä'i
– ein Sandwich (mit Wurst / Käse / Schinken)	– un panino (con affettato / formaggio / prosciutto)	un pani'no (kon af-fetta'to / forma'd-dscho / proschu't-to
– ein hartes Ei	– un uovo sodo	un uo'wo ßo'do
– Spiegeleier	– uova al tegame	uo'wa al tega'me
– Rühreler	– uova strapazzate	uo'wa ßtrapatßa'te
– eine Portion Pommes frites (mit Ketchup)	– una porzione di pommes frites (con ketchup)	u'na portßjo'ne di po'm fri't (kon ke'tschup)
– eine Suppe	– una minestra	u'na minä'ßtra
– das Tagesgericht	– il piatto del giorno	il pja't-to del dscho'rno
– ein halbes Hähnchen	– un mezzo pollo	un mä'd-dso po'l-lo
– einen Schinken-Käse-Toast	– un toast con prosciutto e formaggio	un to'ßt kon proschu't-to e forma'd-dscho

BAR	eine Art Café, wo man Getränke, Eis, Sandwiches, Gebäck sowie Zigaretten, Briefmarken, Süßigkeiten, Ansichtskarten bekommt
BIRRERIA	Bierausschank mit einigen Tagesgerichten
CANTINA	Weinkeller/-probierstube mit kleinen Gerichten
GELATERIA	Eisdiele
LOCANDA	rustikales Speiselokal der gehobenen Klasse
OSTERIA	Weinstube mit kleinen, oft vorzüglichen Gerichten
PASTICCERIA	Konditorei
RISTORANTE	Restaurant der gehobenen Klasse
ROSTICCERIA	Imbißstube, vorwiegend gegrillte / gebratene Speisen
TAVOLA CALDA	Imbißstube, oft Selbstbedienung
TRATTORIA	Mittelklasselokal mit einfachen, typischen Gerichten der Region; in Großstädten oft ein teures Restaurant
PANE E COPERTO	Gedeck (wird extra berechnet)

Speisekarte

Antipasti
antipa'ßti
Vorspeisen

affettato misto	af-fet-ta'to mi'ßto	Aufschnittplatte
antipasto misto	antipa'ßto mi'ßto	gemischte Vorspeisen
bruschetta	bruße't-ta	Röstbrot m. Knoblauch
carciofini e funghetti sott'olio	kartschofi'ni e funge't-ti ßot-to'ljo	Artischocken mit Pilzen in Öl
carni fredde	ka'rni fre'd-de	kalte Platte
caviale	kawja'le	Kaviar
chiocciole	kjo't-tschole	Weinbergschnecken
carpaccio	karpa't-tscho	Schinken u. Käse in Marinade
crostini di prosciutto	kroßti'ni di proschu't-to	Röstbrot mit Schinken
culatello	kulatcl'lo	Nußschinken
insalata di gamberi	inßala'ta di ga'mberi	Krebsschwanzsalat
insalata di mare	inßala'ta di ma're	Meeresfrüchte in Essig und Öl
lingua salmistrata	li'ngua ßalmißtra'ta	Pökelzunge
patè di fegato d'oca	patä' di fe'gato do'ka	Gänseleberpastete
prosciutto (crudo / cotto)	proschu't-to (kru'do / ko't-to)	Schinken (roh / gekocht)

29

– e melone	– e melo'ne	– und Melone
– con fichi freschi	– kon fi'ki fre'ski	– mit frischen Feigen
salumi misti	ßalu'mi mi'ßti	italien. Wurstplatte
uova con maionese	uo'wa kon majone'ße	russische Eier

Minestre / Zuppe — mine'ßtre / tßu'p-pe — Suppen

brodo / consommé / brodetto	bro'do / konßom-mä' / brode't-to	Fleischbrühe
brodo di pollo	bro'do di po'l-lo	Hühnerbrühe
crema di pomodori	kre'ma di pomodo'ri	Tomatensuppe
minestra	mine'ßtra	Suppe mit Einlage
minestrina	mineßtri'na	klare Suppe
minestrone	mineßtro'ne	Gemüsesuppe mit Nudeln
pastina in brodo	paßti'na in bro'do	Nudelsuppe
pasta e fagioli	pa'ßta e fadscho'li	Bohnensuppe m. Nudeln
stracciatella	ßtratschate'l-la	Fleischbrühe mit geschlagenem Ei und Käse
zuppa pavese	tßup-pa pawe'se	Bouillon mit Ei und Röstbrot
zuppa di pesce	tßu'p-pa di pe'sche	Fischsuppe

Paste e risotti — pa'ßte e riso't-ti — Nudel- und Reisgerichte

bucatini	bukati'ni	Spez. Nudelart
capelli d'angolo	kape'l-li da'ngolo	Fadennudeln
fettucine	fet-tutschi'ne	Bandnudeln
gnocchi	njo'k-ki	Mehl- od. Kartoffelklößchen
lasagne al forno	lasa'nje al fo'rno	geschichteter Nudelteig mit Fleischfüllung, überbacken

maccheroncini	mak-kerontschi'ni	kleine Makkaroni
penne	pe'n-ne	kurze, breite Makkaroni
polenta	pole'nta	Maisbrei
rigatoni	rigato'ni	große Röhrennudeln mit Füllung
risi e bisi	ri'si e bi'si	Reis mit jungen Erbsen
risotto alla marinara	riso't-to alla marina'ra	Reis mit div. Fischen und Schalentieren
risotto alla milanese	riso't-to alla milane'se	Safranreis
risotto con funghi	riso't-to kon fu'ngi	Reis mit Pilzen
tagliatelle	taljate'l-le	Bandnudeln
tortellini	tortel-li'ni	gefüllte Teigringe
tris di pastasciutta	tris di paßtaschu't-ta	3 verschiedene Nudelgerichte

Uova — uo'wa — Eiergerichte

frittata / omelette	frit-ta'ta / omele't-t	Pfannkuchen / Omelett
– di verdura	– di werdu'ra	Omelett mit Gemüse
uova	uo'wa	Eier
– al prosciutto	– al proschu't-to	Eier mit Schinken
– al tegame	– al tega'me	Spiegeleier
– strapazzate	– ßtrap-patßa'te	Rühreier

Pesci e Crostacei — pe'schi e kroßta'tsche-i — Fische und Schalentiere

acciughe / alici	atschu'ge / ali'tschi	Sardellen
anguilla	angui'l-la	Aal

aragosta	arago'ßta	Hummer, Languste
aringa	ari'nga	Hering
brodetto di pesce	brode't-to di pe'sche	Fischsuppe
calamari / calamaretti	kalama'ri / kalamare't-ti	Tintenfische
carpa / carpione	ka'rpa / karpjo'ne	Karpfen
cozze	ko't-tße	Miesmuscheln
dentice	de'ntitsche	Zahnbrasse
fritto di pesce / frittura mista di pesce	fri't-to di pe'sche / frittu'ra mi'ßta di pe'sche	div. gebackene Fischsorten
frutti di mare	fru't-ti di ma're	Meeresfrüchte (Schalentiere)
gamberi, gamberetti, granchi, granchiolini	ga'mberi, gambere't-ti, gra'nki, grankjoli'ni	Krebse, Garnelen, Krabben / Garnelen / Krebse
grigliata di pesce	grilja'ta di pe'sche	div. gegrillte Fische
ipoglosso	ipoglo'ß-ßo	Heilbutt
luccio	lu't-tscho	Hecht
luccioperca	lut-tschopä'rka	Zander
ostriche	o'ßtrike	Austern
pesce	pe'sche	Fisch
– alla griglia	– alla gri'lja	gegrillter Fisch
– in bianco	– in bja'nko	gekochter Fisch
pesce spada	pe'sche ßpa'da	Schwertfisch
rombo	ro'mbo	Steinbutt
salmone	ßalmo'ne	Seelachs
seppia / seppioline	ße'p-pja / ßep-pjoli'ne	Tintenfisch
sgombri	ßgo'mbri	Makrelen
sogliola	ßo'ljola	Seezunge
sarde / sardine	ßa'rde / ßardi'ne	Sardinen
tonno	to'n-no	Thunfisch
triglia	tri'lja	Seebarbe
trota	tro'ta	Forelle

Carni ka'rni — *Fleischgerichte*

abbacchio	ab-ba'k-kjo	Lammbraten
arrosto	ar-ro'ßto	Braten / gebraten
bistecca	bißte'k ka	Steak / Beefsteak
braciola ai ferri	bratscho'la ai fä'r-ri	gegrilltes Schnitzel
bue	bu'e	Ochsenfleisch
carne tritata	ka'rne trita'ta	Hackfleisch
costata	koßta'ta	Entrecôte
costoletta	koßtole't-ta	Kotelett
cotoletta alla Milanese	kotole't-ta alla milane'se	Wiener Schnitzel
fegato	fe'gato	Leber
filetto di manzo	file't-to di manzo	Rinderfilet
in gratella	in grate'l-la	vom Rost
involtini	inwolti'ni	Rouladen
fritto misto	fri't-to mi'ßto	div. gebackene Fleischstücke
maiale	maja'le	Schweinefleisch
manzo	ma'ntßo	Rindfleisch
montone	monto'ne	Hammelfleisch
ossobuco	oß-ßobu'ko	Kalbshaxe in Scheiben
piccata	pik-ka'ta	kleine Kalbsschnitzel
polpette	polpe't-te	Fleischklößchen
porchetta	porke't-ta	Spanferkel
rognone	ronjo'ne	Nieren
rosbif	ro'sbif	Roastbeef
scaloppine	ßkalop-pi'ne	Schnitzel
spezzatino	ßpet-tßati'no	Gulasch
spiedino	ßpjedi'no	Fleischspieß
stracotto di bue	ßtrako't-to di bu'e	geschmortes Rindfleisch
stufato	ßtufa'to	Schmorbraten

saltimbocca	ßaltimbo'k-ka	Kalbsroulade
– alla romana	– alla roma'na	– m. Schinken u. Salbei
vitello	wite'l-lo	Kalbfleisch

Volatili e selvaggina	wolati'li e ßelwadschi'na	**Geflügel und Wild**
anitra	a'nitra	Ente
cappone	kap-po'ne	Kapaun
capriolo	kaprio'lo	Reh
coniglio	koni'ljo	Kaninchen
fagiano	fadscha'no	Fasan
lepre / lepretto	le'pre / leprä't-to	Hase
oca	o'ka	Gans
pernice	perni'tsche	Rebhuhn
piccione	pit-tscho'ne	Taube
pollo	po'l-lo	Huhn / Hähnchen
tacchino	tak-ki'no	Truthahn

Verdura	werdu'ra	**Gemüse**
aglio	a'ljo	Knoblauch
asparagi	aßpa'radschi	Spargel
carciofi ripieni	kartscho'fi ripje'ni	Artischocken, gefüllt
carote	karo'te	Karotten
cavolfiore	kawolfjo're	Blumenkohl
cavolo	ka'wolo	Kohl(rabi)
cavolini di Bruxelles	kawoli'ni di bruß-ßä'l	Rosenkohl
cetriolo	tschetrio'lo	Gurke
cicoria	tschiko'rja	Chicorée
cipolle	tschipo'l-le	Zwiebeln
crauti	kra'uti	Sauerkraut
fagiolini	fadscholi'ni	grüne Bohnen
fagioli	fadscho'li	(dicke) Bohnen
finocchio	fino'k-kjo	Fenchel
funghi	fu'ngi	Pilze
melanzane	melandsa'ne	Auberginen
patate	pata'te	Kartoffeln
peperoni	pepero'ni	Paprika
piselli	pise'l-li	Erbsen
pomodori	pomodo'ri	Tomaten
prataioli	pratajo'li	Champignons
radicchio	radi'k-kjo	Radicchio (rotblättr. Salat)
sedano	ßeda'no	Sellerie
spinaci	ßpina'tschi	Spinat

Insalate	inßala'te	**Salate**
insalata	inßala'ta	Salat
– di cetrioli	– di tschetrio'li	Gurkensalat
– mista	– mi'ßta	gemischter Salat
– di pomodori	– di pomodo'ri	Tomatensalat
– russa	– ru'ß-ßa	Italienischer Salat

Formaggio	forma'd-dscho	**Käse**
bel paese	bäl pae'se	weicher Butterkäse
formaggio grattugiato	forma'd-dscho grattud-scha'to	geriebener Käse
grana	gra'na	Hartkäse
mozzarella	mot-tßare'l-la	frischer Büffelkäse
parmigiano	parmidscha'no	Parmesan
pecorino	pekori'no	Schafskäse

| provola | pro'wola | Büffelkäse |
| ricotta | riko't-ta | frischer Schafskäse |

Dolci / Dessert — do'ltschi / deß-ßä'r — *Süßspeisen*

babà al rum	baba' al rum	Kleiner Rosinenpfann-kuchen mit Rum
budino	budi'no	Pudding
cassata	kaß-ßa'ta	Halbgefrorenes mit kandierten Früchten
frutta cotta	fru't-ta ko't-ta	Kompott
macedonia di frutta	matschedo'nia di fru't-ta	Obstsalat
panna (montata)	pa'n-na (monta'ta)	Schlagsahne
tiramisù	tiramißu'	Biskuitspeise
torta di frutta	to'rta di fru't-ta	Obstkuchen
zabaione	tßabajo'ne	Eierlikörcreme
zuppa inglese /	tßu'p-pa ingle'se /	Biskuitspeise mit
zuppa romana	tßu'p-pa roma'na	Cremefüllung und Rum

Frutta — fru't-ta — *Obst*

albicocca	albiko'k-ka	Aprikose
ananas	anana'ß	Ananas
arancia	ara'ntscha	Orange
ciliegia	tschilje'dscha	Kirsche
cocomero	koko'mero	Wassermelone
datteri	da't-teri	Datteln
fichi	fi'ki	Feigen
fragole	fra'gole	Erdbeeren
lampone	lampo'ne	Himbeeren
limone	limo'ne	Zitrone
mela	me'la	Apfel
melone	melo'ne	Honigmelone
more	mo're	Brombeeren
nespole	ne'ßpole	Mispeln
noce di cocco	no'tsche di ko'k-ko	Kokosnuß
noccioline	not-tscholi'ne	Haselnüsse
noci	no'tschi	Walnüsse
pera	pe'ra	Birne
pesca	pe'ßka	Pfirsich
pompelmo	pompä'lmo	Grapefruit
prugna	pru'nja	Pflaume
uva	u'wa	Weintrauben
uva spina	u'wa ßpi'na	Stachelbeeren

Wortliste Lebensmittel

Brot	il pane	il pa'ne
Butter	il burro	il bu'r-ro
Essig	l'aceto	latsche'to
Fisch	il pesce	il pe'sche
Fleisch	la carne	la ka'rne
Gemüse	la verdura	la werdu'ra
Gewürze	le spezie	le ßpä'tßje
Hackfleisch	la carne macinata	la ka'rne matschina'ta
Haferflocken	i fiocchi d'avena	i fjo'k-ki dawe'na
Hefe	il lievito	il ljä'wito
Joghurt	lo ioghurt	lo jo'gurt
Käse	il formaggio	il forma'd-dscho
Kaugummi	la gomma americana	la go'm-ma amerika'na (chewing gum)
Kekse	i biscotti	i bißko't-ti
Milch	il latte	il la't-te
Öl / Olivenöl	l'olio / l'olio d'oliva	lo'ljo / lo'ljo doli'wa

Petersilie	il prezzemolo.	il pret-tße'molo
Pfeffer	il pepe	il pe'pe
Quark	la ricotta.	la riko't-ta
Scheibe	la fetta	la fe't-ta
Schinken	il prosciutto.	il proschu't-to
Senf	la senapa	la ßä'napa
Wurst	la salsiccia.	la ßalßi'tscha
Aufschnitt.	l'affettato	laffet-ta'to
Zucker.	lo zucchero	lo tßu'k-kero

Getränke

eine Flasche ...	una bottiglia di ...	una bot-ti'lja di
eine Dose ...	una lattina di ...	una lat-ti'na di
ein Glas ...	un bicchiere di ...	un bik-kjä're di
ein Liter ...	un litro di ...	un li'tro di
ein Viertel ...	un quartino di ...	un kuarti'no di

alkoholische Getränke

Aperitif.	l'aperitivo.	laperiti'wo
Bier	la birra	la bi'r-ra
– dunkles / helles	– chiara / scura	kja'ra / ßku'ra
– vom Faß	– alla spina	a'l-la ßpi'na
Likör	il liquore.	il likuo're
Magenbitter	l'amaro	lama'ro
Rum	il rum.	il rum
Schnaps.	l'acquavite	lakuawi'te
Sekt	lo spumante	lo ßpuma'nte
Wein	il vino	il wi'no
– weiß / rot / rosé.	– bianco / rosso / rosè . .	bja'nko / ro'ß-ßo / rose'
– trocken / mild.	– secco / amabile	ße'k-ko / ama'bile
– leicht / süß.	– leggero / dolce	led-dschä'ro / do'ltsche
– Dessertwein	– liquoroso.	likuoro'so
– Apfelwein	– il sidro	il ßi'dro
– Glühwein.	– vin brulè	win brulä'
– Landwein	– vino nostrano / locale .	wi'no noßtra'no / loka'le
– Tafelwein	– vino da tavola	wi'no da ta'wola

Vini			Aperitivi
Bardolino	Frascati	Moscato	Campari
Barolo	Lacrima Christi	Pinot	Carpano
Cabernet	Lambrusco	Soave	Cinzano
Chianti	Merlot	Valpolicella	Cynar

alkoholfreie Getränke

Apfelsaft	il succo di mela.	il ßu'k-ko di me'la
Fruchtsaft.	il succo di frutta	il ßu'k-ko di fru't-ta
Limonade: Orangen-. . .	l'aranciata	larantscha'ta
Zitronen-.	la limonata	la limona'ta
Milch	il latte	il la't-te
Mineralwasser *mit (oh-*	l'acqua minerale *gasata*	la'kua minera'le gaßa'ta
ne) Kohlensäure	*(naturale)*	(natura'le)
Orangensaft	il succo d'arancia	il ßu'k-ko dara'ntscha
Orange (nature)	la spremuta d'arancia . .	la ßpremu'ta dara'ntscha
Tomatensaft	il succo di pomodoro . . .	il ßu'k-ko di pomodo'ro
Traubensaft	il succo d'uva.	il ßu'k-ko du'wa
Wasser.	l'acqua.	la'kua
Zitrone (nature)	la spremuta di limone . .	la ßpremu'ta di limo'ne

Besichtigungen und Ausflüge

In der Stadt

Welche Sehenswürdig-keiten gibt es hier?	Che cosa c'è (di inter-essante) da vedere qui?	ke ko'sa tschä' (di inter-eß-ßa'nte) da wede're kui'
Wir möchten ... besich-tigen.	Vorremmo visitare ...	wor-re'm-mo wisita're ...
Wann ist ... geöffnet?	Quando è aperto ...?	kua'ndo ä' apä'rto ...
Gibt es eine Führung (in Deutsch)?	C'è una visita con guida (in tedesco)?	tschä' u'na wi'sita kon gui'da (in tede'ßko)
Was für ein *Gebäude (Denkmal)* ist das?	Che *edificio (monu-mento)* è questo?	ke' edifi'tscho (monu-me'nto) ä' kue'ßto
Wann wurde das ge-baut?	Quando è stato costruito?	kua'ndo ä' ßta'to koßtrui'to
Wo befindet sich ...?	Dove si trova ...?	do'we ßi tro'wa
Wie komme ich *zum (zur)* ...	Per andare a ..., per favore?	per anda're a ..., per fawo're
– Ausstellung?	– alla mostra?	a'l-la mo'ßtra
– Galerie?	– alla galleria?	a'l-la gal-leri'a
– ...-Kirche?	– alla chiesa ...?	a'l-la kjä'sa
– Museum?	– al museo?	al muse'o
– ...-Palast?	– al palazzo ...?	al pala'tßo
– Schloß?	– al castello?	al kaßte'l-lo
– Universität?	– all'università?	al-luniwerßita'
Ist es weit?	E' lontano?	ä' lonta'no
In welche Richtung muß ich gehen?	In che direzione devo andare?	in ke' diretßjo'ne de'wo anda're
Wie viele Minuten zu Fuß?	Quanti minuti ci voglio-no a piedi?	kua'nti minu'ti tschi wo'ljono a pjä'di
Mit welchem Bus kann ich fahren?	Con quale autobus posso andarci?	kon kua'le a'utobuß po'ß-ßo anda'rtschi
Wo muß ich *aussteigen (umsteigen)*?	Dove devo *scendere (cambiare)*?	do'we de'wo sche'ndere (kambja're)
Wo bekomme ich ein Taxi?	Dove posso prendere un taxi?	do'we po'ß-ßo prä'nde-re un ta'kßi
In die ...-Straße, bitte.	Per piacere, in via ...	per pjatsche're in wi'a

Ausflüge

Wir möchten uns für den Ausflug nach ... an-melden.	Vorremmo partecipare alla gita per ...	wor-re'm-mo partetschi-pa're a'l-la dschi'ta per
Kommen wir *an (am, an der)* ... vorbei?	Passiamo per (il, la) ...?	paß-ßja'mo per (il, la)
Besichtigen wir auch ...?	Visitiamo anche ...?	wisitja'mo a'nke ...
Wann geht es los?	Quando si parte?	kua'ndo ßi pa'rte
Haben wir Zeit zur freien Verfügung in ...?	Abbiamo del tempo a disposizione a ...?	abja'mo del tä'mpo a dißpositßjo'ne a ...
Wann kommen wir zu-rück?	Quando ritorniamo?	kua'ndo ritornja'mo
Können wir Einkäufe machen?	Possiamo fare degli acquisti?	po'ß-ßjamo fa're de'lji ak-kui'ßti
Ist das Mittagessen im Preis inbegriffen?	Il pranzo è compreso nel prezzo?	il pra'ntßo ä' kompre'so nel prä't-tßo

Wortliste

Abfahrt	la partenza	la parte'ntßa
Abtei	la badia	la badi'a
Altar	l'altare	lalta're
Altstadt	il centro storico	il tsche'ntro ßto'riko
Ausgrabungen	i scavi	i ßka'wi
barock	barocco	baro'k-ko
Besichtigung	la visita	la wi'sita
Bild	il quadro	il kua'dro
Brücke	il ponte	il po'nte
Brunnen	la fontana	la fonta'na
Burg	il castello	il kaßte'l-lo
Chor	il coro	il ko'ro
Fluß	il fiume	il fju'me
Fremdenführer	la guida turistica	la gui'da turi'ßtika
Friedhof	il cimitero	il tschimite'ro
Garten	il giardino	il dschardi'no
Gebirge	la montagna	la monta'nja
Gegend	la zona	la dso'na
Gemälde	il quadro / la pittura	il kua'dro / la pit-tu'ra
Gewölbe	la volta	la wo'lta
gotisch	gotico	go'tiko
Grab	la tomba	la to'mba
Hafen	il porto	il po'rto
Haus	la casa	la ka'sa
Hof	il cortile / la corte	il korti'le / la ko'rte
Höhle	la grotta	la gro't-ta
Kapelle	la cappella	la kap-pe'l-la
Kirchturm	il campanile	il kampani'le
Kloster	il convento / il monastero	il konwe'nto / il monaßtä'ro
Kreuz	la croce	la kro'tsche
Kreuzgang	il chiostro	il kjo'ßtro
Krypta	la cripta	la kri'pta
Künstler	l'artista	larti'ßta
Kuppel	la cupola	la ku'pola
Landschaft	il paesaggio	il paesa'd-dscho
Maler	il pittore	il pit-to're
Markt	il mercato	il merka'to
Marmor	il marmo	il ma'rmo
Naturschutzgebiet	il parco Nazionale	il pa'rko natßjona'le
Oper	l'opera	lo'pera
Platz (Ort)	il luogo	il luo'go
Portal	il portale	il porta'le
Radtour	il giro ciclistico	il dschi'ro tschikli'ßtiko
Raststätte	l'autogrill	l'autogri'll
Rathaus	il municipio	il munitschi'pjo
romanisch	romanico	roma'niko
Ruinen	le rovine	le rowi'ne
Saal	la sala	la ßa'la
Sessellift	la seggiovia	la ßed-dschowi'a
Stadion	lo stadio	lo ßta'dio
Statue	la statua	la ßta'tua
Stufe	il gradino	il gradi'no
Tal	la valle	la wa'l-le
Theater	il teatro	il tea'tro
Tor	la porta	la po'rta
Turm	la torre	la to'r-re
Umgebung	i dintorni	i dinto'rni
Wanderweg	il sentiero	il ßentjä'ro
Wasserfall	la cascata	la kaßka'ta
Weinprobe	l'assaggio-vini	laß-ßa'd-dscho wi'ni
Zoo	lo zoo	lo dso'o

Kulturelle Veranstaltungen / Gottesdienst

Was wird heute abend im Kino (im Theater, in der Oper) gegeben?
Che cosa danno stasera *al cinema (al teatro, all'opera)*?
ke ko'sa da'n-no ßtaße'ra al tschi'nema (al tea'tro) al-lo'pera

Können Sie mir *ein Theaterstück (ein Konzert, einen Film)* empfehlen?
Mi può consigliare una *commedia (un concerto, un film)*?
mi puo' konsilja're u'na kom-mä'dja (un kontschä'rto, un film)

Wer spielt die Hauptrolle?
Chi fa la parte principale?
ki fa' la pa'rte printschipa'le

Wer ist der *Schauspieler (die Schauspielerin)*?
Chi è *questo attore (questa attrice)*?
ki ä' kue'ßto at-to're (kue'ßta at-tri'tsche)

Wann beginnt ...
A che ora comincia ...
a ke' o'ra komi'ntscha

– die Vorstellung?
– la rappresentazione?
la rap-presentatßjo'ne

– der Hauptfilm?
– il film?
il film

– der Vorverkauf?
– la vendita?
la we'ndita

Wo bekommt man die Karten?
Dove si comprano i biglietti?
do'we ßi ko'mprano i bilje't-ti

Haben Sie noch Karten für *heute (morgen)*?
Ci sono ancora dei biglietti per *oggi (domani)*?
tschi ßo'no anko'ra de'i bilje't-ti per o'd-dschi (doma'ni)

Bitte zwei Karten zu ... Lire.
Per piacere due biglietti da ... Lire.
per pjatsche're du'e bilje't-ti da ... li're

Wann ist die Vorstellung zu Ende?
Quando finisce lo spettacolo?
kua'ndo fini'sche lo ßpet-ta'kolo

Wo ist die ... Kirche?
Dov'è c'è la chiesa di ...?
dowä' la kjä'sa di ...

Wann findet *die Messe* statt?
Quando c'è la messa?
kua'ndo tschä'la me'ßßa

GALLERIA	Rang	PALCO	Loge
PRIMA GALLERIA	1. Rang	PLATEA	Parkett
SECONDA GALLERIA	2. Rang	POSTO	Platz
ESAURITO	ausverkauft	FILA	Reihe
ENTRATA	Eingang	USCITA DI SICUREZZA	Notausgang

Ballett	il balletto	il bal-le't-to
Bühne	il palcoscenico	il palkosche'niko
Chor	il coro	il ko'ro
Dirigent	il direttore d'orchestra. .	il diret-to're dorke'ßtra
Inszenierung	la messa in scena	la me'ß-ßa in sche'na
Musik	la musica	la mu'sika
Oper	l'opera	lo'pera
Orgel	l'organo	lo'rgano
Pause	la pausa	la pa'usa
Platz (Sitz)	il posto	il po'ßto
Platzanweiserin	la maschera	la ma'ßkera
Regie / Regisseur	la regia / il regista . . .	la redschi'a / il redschi'ßta
Rolle	la parte	la pa'rte
Sänger(in)	il cantante / la cantatrice	il kanta'nte / la kantatri'tsche
Schauspieler(in)	l'attore (l'attrice)	lat-to're (lat-tri'tsche)
Solist(in)	*il/la* solista	il ßoli'ßta / la ßoli'ßta

Sport und Freizeit

Baden / Strand / Wassersport

APERTO / CHIUSO	offen / geschlossen
AVVISO DI TEMPESTA	Sturmwarnung
BAGNINO	Bademeister
BIBITE FREDDE	Kalte Getränke
CAMPO GIOCHI BAMBINI	Kinderspielplatz
DIVIETO DI CAMPEGGIO	Camping verboten
IN VENDITA QUI	Verkauf hier
NOLEGGIO BICICLETTE	Fahrradverleih
PASSAGGIO CARRABILE	Durchfahrt
SCUOLA VELA	Segelschule
SOLO PER NUOTATORI	Nur für Schwimmer
VIETATO BAGNARSI	Baden verboten
VIETATO CALPESTARE L'ERBA	Betreten des Rasens verboten

Gibt es hier ...	C'è qui vicino ...	tschä' kui' witschi'no
– ein Freibad?	– una piscina all'aperto?	u'na pischi'na allapä'rto
– ein Hallenbad?	– una piscina coperta?	u'na pischi'na kopä'rta
– ein Thermalbad?	– un bagno termale?	un ba'njo terma'le
– eine Segelschule?	– una scuola di vela?	u'na ßkuo'la di we'la
– eine Surfschule?	– una scuola di surf?	u'na ßkuo'la di ßö'rf
Kann man hier einen *Schwimmkurs (Tauchkurs)* machen?	Si può fare qui un corso di nuoto (per subacquei)?	ßi puo' fa're kui' un ko'rßo di nuo'to (per ßuba'kuea)
Wo ist der Strand?	Dove è la spiaggia?	do'we ä'la ßpja'd-dscha
Ist es für Kinder gefährlich?	E' pericoloso per i bambini?	ä' perikolo'so per i bambi'ni
Ich möchte ... *leihen (mieten).*	Vorrei prendere *in prestito (a nolo)* ...	wor-rä'i prä'ndere in pre'ßtito (a no'lo)
– ein Boot / Tretboot	– una barca (a pedali)	u'na ba'rka (a peda'li)
– eine Kabine	– una cabina	u'na kabi'na
– einen Liegestuhl	– una sedia a sdraio	u'na ßä'dja a sdra'jo
– einen Sonnenschirm	– un ombrellone	unombrel-lo'ne
– ein Segelboot	– una barca a vela	u'na ba'rka a we'la
– ein Surfbrett	– una tavola da surf	u'na ta'wola da ßö'rf
– eine Taucherausrüstung	– un'attrezzatura subacquea	unat-tretßatu'ra ßuba'kuea
Ist es möglich, in einem Fischerboot mitzufahren?	E' possibile andare con i pescatori su una barca da pesca?	ä poß-ßi'bile anda're kon i peßkato'ri ßu u'na ba'rka da pe'ßka
Was kostet das pro *Stunde (Tag)?*	Quanto costa questo *all'ora (al giorno)?*	kua'nto ko'ßta kue'ßto allo'ra (al dscho'rno)

Andere Sportarten

Welchen Sport kann man hier treiben?	Che sport si possono fare qui?	ke ßpo'rt ßi po'ß-ßono fa're kui
Gibt es in der Nähe ...	C'è nelle vicinanze ...	tschä' ne'l-le witschina'ntße
– einen Fahrradverleih?	– un noleggio di biciclette?	un nole'd-dscho di bitschikle't-te

– einen Golfplatz?	– un campo da golf?	un ka'mpo da go'lf
– eine Minigolfanlage?	– un mini-golf?	un mi'nigo'lf
– eine Reitschule?	– una scuola d'equitazione?	u'na ßkuo'la dekuitatßjo'ne
– einen Tennisplatz?	– un campo da tennis?	un ka'mpo da te'n niß
Ich würde gern ...	Vorrei ...	wor-rä'i
– eine Bergtour machen.	– fare un giro alpinistico.	fa're un dschi'ro alpini'ßtiko
– Boccia spielen.	– giocare a boccie.	dschoka're a bo't-tsche
– Federball spielen.	– giocare con il volano.	dschoka're kon il wola'no
– kegeln.	– giocare a birilli.	dschoka're a biri'l-li
– Tischtennis spielen.	– giocare a ping-pong.	dschoka're a ping-pong
– wandern.	– fare escursioni a piedi.	fa're eßkurßjo'ni a pjä'di
Können Sie mir *eine interessante Route (einen schönen Weg)* auf der Karte zeigen?	Potrebbe mostrarmi un *itinerario interessante (un bel percorso)* sulla carta geografica?	poträ'b-be moßtra'rmi un itinera'rjo intereß-ßa'nte (un bäl perko'r-ßo) ßu'l-la ka'rta dscheogra'fika
Sind die Schneeverhältnisse gut?	Sono buone le condizioni della neve?	ßo'no buo'ne le kondi-tßjo'ni de'l-la ne'we
Wo kann man hier ...	Dove si può ...	do'we ßi puo'
– angeln?	– andare a pescare?	anda'rc a peßka're
– Schlittschuh laufen?	– pattinare?	pat-tina're
– Schlitten fahren?	– andare in slitta?	anda're in ßli't-ta

Andere Freizeitbeschäftigungen

Haben Sie Fernsehen?	Avete la televisione?	awe'te la telewisjo'ne
Kann man hier Radio hören?	Si può ascoltare la radio qui?	ßi puo' aßkolta're la ra'djo kui
Spielen Sie *Karten (Dame, Schach)?*	Gioca *a carte (a dama, a scacchi)?*	dscho'ka a ka'rte (a da'ma, a ßka'k-ki)
Gibt es hier ...	C'è qui ...	tschä' kui'
– einen Billardraum?	– una sala da bigliardo?	u'na ßa'la da bilja'rdo
– eine Nachtbar?	– un night club?	un na'it klöb
– eine Spielhalle?	– una sala da gioco?	u'na ßa'la da dscho'ko
– ein Spielkasino?	– un casinò?	un kasino'
Finden hier auch ... statt?	Si fanno qui ...?	ßi fa'n-no kui
– Folkloreabende	– serate folcloristiche	ßera'te folklori'ßtike
– Pferderennen	– corse dei cavalli	ko'rße de'i kawa'l-li
Ich möchte mir ... ansehen.	Vorrei vedere ...	wor-rä'i wede're
– den Boxkampf	– l'incontro di pugilato	linko'ntro di pudschi-la'to
– das Fußballspiel	– la partita di calcio	la parti'ta di ka'ltscho
– die Modenschau	– la sfilata di moda	la ßfila'ta di mo'da
– das Radrennen	– la corsa ciclistica	la ko'rßa tschikli'ßtika

Tanz / Disko / Flirt

Gibt es hier *eine Diskothek (ein Tanzlokal)?*	C'è una *discoteca (un dancing)* qui?	tschä' una dißkote'ka (un da'nßing) kui'
Wollen wir (noch einmal) tanzen?	Vogliamo ballare (un'altra volta)?	wolja'mo bal-la're (una'ltra wo'lta)
Darf ich mich zu Ihnen setzen?	Posso sedermi vicino a Lei?	po'ß-ßo ßede'rmi wi-tschi'no a lä'i

39

Trinken wir noch etwas zusammen?	Beviamo ancora qualcosa insieme?	bewja'mo anko'ra kualko'sa inßjä'me
Wollen wir noch einen Bummel machen?	Vogliamo fare una passeggiata?	wolja'mo fa're u'na paß-ßedscha'ta
Darf ich Sie *ein Stück (nach Hause)* begleiten?	Posso accompagnarLa *un po' (a casa)?*	po'ß-ßo ak-kompanja'r-la un po' (a ka'sa)
Wann sehen wir uns wieder?	Quando ci si rivede?	kua'ndo tschi ßi riwe'de
Haben Sie für heute abend schon etwas vor?	Ha già qualcosa in programma per stasera?	a' dscha' kualko'sa in progra'm-ma per ßta-ße'ra
Darf ich Sie morgen zum Essen einladen?	Posso invitarLa domani a pranzo?	po'ß-ßo inwita'rla doma'ni a pra'ndso
Vielen Dank für den schönen Abend.	Tante grazie per la bella serata.	ta'nte gra'tßje per la bä'l-la ßera'ta

Einkäufe

Allgemeines

Wo kann man ... kaufen?	Dove si può comprare ...?	do'we ßi puo' kompra're
Haben Sie ...?	Ha ...?	a' ...
Wieviel kostet das?	Quanto costa questo?	kua'nto ko'ßta kue'ßto
Haben Sie etwas Billigeres?	Ha qualcosa di meno caro?	a' kualko'sa di me'no ka'ro
Ich nehme es.	Lo prendo.	lo prä'ndo
Nehmen Sie *D-Mark (Euroschecks)?*	Prende i *marchi tedeschi (Eurocheques)?*	prä'nde i ma'rki tede'ßki ä'uroschek
Kann ich das umtauschen?	Posso cambiare questo?	po'ß-ßo kambja're kue'sto
Können Sie mir eine (Plastik-)Tüte geben?	Può darmi una borsetta (di plastica)?	puo' da'rmi u'na bor-ße't-ta di pla'ßtika
Ich möchte ...	Vorrei ...	wor-rä'i ...
– ein Stück / ein Paar	– un pezzo / un paio	un pä't-tßo / un pa'jo
– eine Dose	– una scatola di	u'na ßka'tola di
– 100 Gramm	– *100 grammi / un etto* di	tschä'nto gra'm-mi / un ä't-to di
– ein (halbes) Kilo	– un (mezzo) chilo di	un (mä'd-dso) ki'lo di
– 30 Zentimeter	– trenta centimetri	tre'nta tschenti'metri
– einen Meter	– un metro	un mä'tro
beige / blau / braun	beige / blue / marrone	bäsch / blu / mar-ro'ne
dunkel / gelb / grau	scuro / giallo / grigio	ßku'ro / dscha'l-lo / gri'dscho
grün / hell / rosa	verde / chiaro / rosa	we'rde / kja'ro / ro'sa
rot / schwarz / weiß	rosso / nero / bianco	ro'ß-ßo / ne'ro / bja'nko

Foto

Ich hätte gern ...	Vorrei ...	wor-rä'i ...
– einen Diafilm.	– un rotolo di diapositive.	un ro'tolo di diapositi'we
– einen Farbfilm.	– un rotolo a colori.	un ro'tolo a kolo'ri

– einen Film für diesen Apparat mit *36 (24)* Aufnahmen.	– un rotolo per questa macchina fotografica con *trentasei (venti-quattro)* foto.	un ro'tolo per kue'ßta ma'k-kina fotogra'fika kon trentaßä'i (wenti-kua't-tro) fo'to
– einen Kassettenfilm.	– un caricatore.	un karikato'rc
– einen Super-8-Farb-film,	– un rotolo a colori Super-otto.	un ro'tolo a kolo'ri su'per o't-to
Würden Sie mir bitte den Film einlegen?	Potrebbe caricarmi la macchina, per piacere?	poträ'b-be karika'rmi la ma'k-kina, per pja-tsche're
Entwickeln Sie bitte diesen Film.	Vorrei far sviluppare questo rotolo.	wor-rä'i fa'r swilup-pa're kue'ßto ro'tolo
Bitte von jedem Negativ einen Abzug	Per piacere di ogni negativa una copia.	per pjatsche're di o'nji negati'wa u'na ko'pja
– neun mal *neun (dreizehn).*	– formato nove per *nove (tredici).*	forma'to no'we per no'we (tre'ditschi)
Wann kann ich die Bilder abholen?	Quando posso venire a prendere le foto?	kua'ndo po'ß-ßo weni're a prä'ndere le foto

Tabak / Papier / Bücher

Ein Päckchen ... *mit (ohne)* Filter, bitte.	Un pacchetto *con (senza)* filtro, per favore.	un pak-ke't-to kon (ßä'n-tßa) fi'ltro per fawo're
Haben Sie deutsche Zeitungen?	Ha giornali tedeschi?	a dschorna'li tede'ßki
Ich möchte bitte ...	Vorrei ...	wor-rä'i ...
– zehn *Zigaretten (Zigarren).*	– dieci *sigarette (sigari).*	djä'tschi ßigare't-te (ßi'gari)
– eine Dose (Pfeifen-, Zigaretten-)Tabak.	– una scatola di tabacco (per pipa, per sigarette).	u'na ßka'tola di taba'k-ko (per pi'pa, per ßigare't-te)
– eine Packung *Pfeifenreiniger (Zigaretten-papier).*	– un pacchetto di *scovolini (carta da sigarette).*	un pak-ke't-to di ßkowoli'ni (ka'rta da ßigare't-te)
– eine Schachtel Streichhölzer.	– una scatola di fiammiferi.	u'na ßka'tola di fjammi'feri
– ein Feuerzeug.	– un accendino.	un at-tschendi'no
– eine Ansichtskarte.	– una cartolina.	u'na kartoli'na
– einen Bildband von ...	– un volume illustrato di ...	un wolu'me il-lußtra'to di ...
– Briefpapier.	– della carta da lettere.	de'l-la ka'rta da lä't-tere
– Briefumschläge.	– delle buste.	de'l-le bu'ßte
– einen Kugelschreiber.	– una biro.	u'na bi'ro
– einen Reiseführer.	– una guida.	u'na gui'da
– einen Stadtplan.	– una piantina.	u'na pjanti'na
– ein Wörterbuch Italienisch-Deutsch.	– un dizionario italiano-tedesco.	un dizjona'rjo italja'no-tede'ßko

Kleidung und Reinigung

Kann ich das anprobieren?	Posso provare questo?	po'ß-ßo prowa're kue'ßto
Ich brauche Größe ...	Mi serve la misura ...	mi ße'rwe la misu'ra ...
Das ist mir zu *eng (kurz, lang, groß).*	Questo è troppo *stretto (corto, lungo, grande).*	kue'ßto ä' tro'p-po ßtre't-to (ko'rto, lu'ngo, gra'nde)
Das paßt *gut (nicht).*	*(Non)* sta bene.	(non) ßta' bä'ne
Ich möchte ein Paar ...	Vorrei un paio di ...	wor-rä'i un pa'jo di ...
– Sandalen.	– sandali.	ßa'ndali
– Wanderschuhe.	– scarpe da escursione.	ßka'rpe da eßkurßjo'ne

41

Sie drücken.	Stringono.	ßtri'ngono
Sie sind zu *eng (weit).*	Sono troppo *strette (larghe).*	ßo'no tro'p-po ßtre't-te (la'rge)
Ich möchte das *reinigen (waschen)* lassen..	Vorrei far *pulire (lavare)* questo.	wor-rä'i fa'r puli're (lawa're) kue'ßto
Wann ist es fertig?	Quando sarà pronto?	kua'ndo ßara' pro'nto

Wortliste

Absatz	il tacco	il ta'k-ko
Anzug	il vestito	il weßti'to
Badeanzug	il costume da bagno.	il koßtu'me da ba'njo
Badehose	lo slip da bagno	lo sli'p da ba'njo
Bluse	la camicetta	la kamitsche't-ta
Büstenhalter	il reggiseno	il red-dschiße'no
Gürtel	la cintura	la tschintu'ra
Handschuhe	i guanti	i gua'nti
Hemd	la camicia	la kami'tscha
Hose / kurze Hose	i pantaloni / i pantaloncini	i pantalo'ni / i pantalontschi'ni
Hut	il cappello	il kap-pe'l-lo
Jacke	la giacca	la dscha'k-ka
Kleid	il vestito	il weßti'to
Kopftuch	il foulard	il fu'lard
Kostüm	il tailleur	il taijö'r
Mantel	il cappotto	il kap-po't-to
Mütze	la cuffia	la ku'f-fja
Regenmantel	l'impermeabile	l'impermea'bile
Rock	la gonna	la go'n-na
Schal	la sciarpa	la scha'rpa
Schuhe	le scarpe	le ßka'rpe
Socken	i calzettini	i kaltßet'ti'ni
Strumpfhose	la calzamaglia / i collant	la kalzama'lja / i kola'nt
Unterhose	le mutande	le muta'nde
Unterhemd	la canottiera	la kanot-tjä'ra

Verschiedenes

Armband	il braccialetto	il brat-tschale't-to
Ball	la palla	la pa'l-la
Bindfaden	lo spago	lo ßpa'go
Blumen	i fiori	i fjo'ri
Büchsenöffner	l'apriscatola	laprißka'tola
Flaschenöffner	l'apribottiglia	lapribot-ti'lja
Fleckenwasser	lo smacchiatore	lo ßmak-kjato're
Klebstoff	la colla	la ko'l-la
Knopf	il bottone	il bot-to'ne
Puppe	la bambola	la ba'mbola
Regenschirm	l'ombrello	lombrä'l-lo
Reißverschluß	la cerniera lampo	la tschernjä'ra la'mpo
Schallplatte	il disco	il di'ßko
Schere	i forbici	i fo'rbitschi
Schnur, Seil	lo spago, la corda	lo ßpa'go, la ko'rda
Sicherheitsnadel	la spilla di sicurezza	la ßpi'l-la di ßikure't-tßa
Sonnenbrille	gli occhiali da sole	lji ok-kja'li da ßo'le
Spazierstock	il bastone	il baßto'ne
Stickerei	il ricamo	il rika'mo
Taschenlampe	la pila tascabile	la pi'la taßka'bile
Taschenmesser	il coltellino	il koltel-li'no
Thermometer	il termometro	il termo'metro
Thermosflasche	il termos	il tä'rmos
Vase	il vaso	il wa'so
Waschpulver	il detersivo	il deterßi'wo

Friseur

Können Sie mir einen guten Friseur empfehlen?	Può consigliarmi un buon parrucchiere?	puo' konßilja'ırni un bu'on par-ruk-kjä're
Ich möchte mich für morgen anmelden.	Vorrei un appuntamento per domani.	wor-rä'i un ap-punta-me'nto per doma'ni
Waschen und legen, bitte!	Lavaggio e messa in piega, per favore.	lawa'd-dscho e me'ß-ßa in pjä'ga, per fawo're
Schneiden und fönen, bitte!	Tagliare e asciugare, per favore.	talja're e aschuga're, per fawo're
Bitte *nicht zu kurz (ganz kurz)*.	*Non troppo corti (molto corti)*, per favore.	non tro'p-po ko'rti (mo'lto ko'rti), per fawo're
Bitte nur rasieren!	Solo la barba, prego!	ßo'lo la ba'rba prä'go
Bitte einen Messerschnitt!	Un taglio con la sfoltitrice, per piacere.	un ta'ljo kon la ßfolti-tri'tsche per pjatsche're
Ich möchte eine Dauerwelle *(kalt / warm)*.	Vorrei una permanente *(fredda / calda)*.	wor-rä'i una permane'nte (fre'd-da / ka'lda)
Bitte den Scheitel *links / rechts*.	La riga *a sinistra / a destra*, per favore.	la ri'ga a ßini'ßtra / a dä'ßtra, per fawo're
Bitte *kein (nur wenig)* Haarspray.	*Niente (Solo poca)* lacca, per favore.	njä'nte (ßo'lo po'ka) la'k-ka, per fawo're
Machen Sie auch Maniküre?	Fà anche la manicure?	fa' a'nke la maniku're
Ja, danke, es ist gut so.	Grazie, va bene così.	gra'tßje, wa bä'ne kosi'

Toilettenartikel

Bürste	la spazzola	la ßpa't-tßola
Damenbinden	gli assorbenti	lji aß-ßorbe'nti
Deodorant	il deodorante	il deodora'nte
Gesichtswasser	il tonico	il to'niko
Haarfestiger	il fissatore	il fiß-ßato're
Handcreme	la crema per le mani . . .	la krä'ma per le ma'ni
Kamm	il pettine	il pä't-tine
Kölnisch Wasser	l'acqua di Colonia	la'kua di kolo'nja
Lippenstift	il rosetto	il rose't-to
Maniküre	la manicure	la maniku're
Mundwasser	il colluttorio	il kol-lut-to'rjo
Nagellack	lo smalto	lo sma'lto
Nagellackentferner . . .	l'acetone	latscheto'ne
Papiertaschentücher . .	i fazzoletti di carta	i fat-tßole't-ti di ka'rta
Parfüm	il profumo	il profu'mo
Puder	la cipria	la tschi'pria
Rasierwasser	il dopobarba	il dopoba'rba
Reinigungsmilch	il latte detergente	il la't-te deterdsche'nte
Seife	il sapone	il ßapo'ne
Shampoo	lo shampoo	lo scha'mpo
Sonnenöl	l'olio solare	lo'ljo ßola're
Sonnenschutzkrem . . .	la crema solare	la kre'ma ßola're
Tampons	i tamponi	i tampo'ni
Toilettenpapier	la carta igienica	la ka'rta idscha'nika
Watte	il cotone	il koto'ne
Zahnbürste	lo spazzolino da denti . .	lo ßpat-tßoli'no da dä'nti
Zahnpasta	il dentifricio	il dentifri'tscho

Gesundheit

Apotheke

Wo ist die nächste Apotheke (mit Nachtdienst)?	Dov'è la farmacia più vicina (con il servizio notturno)?	dowä' la farmatschi'a pju' witschi'na (kon il ßerwi'tßjo not-tu'rno)
Geben Sie mir bitte etwas *gegen (für)* ...	Mi dia per piacere qualcosa *contro (per)* ...	mi di'a per pjatsche're kualko'sa ko'ntro (per)
Dieses Medikament, bitte!	Questo farmaco, prego!	kue'ßto fa'rmako, prä'go

A DIGIUNO	auf nüchternen Magen
LASCIARE SCIOGLIERE IN BOCCA	im Munde zergehen lassen
SENZA MASTICARE	unzerkaut
TRE VOLTE AL GIORNO	dreimal täglich
PRIMA / DOPO I PASTI	vor / nach dem Essen
SECONDO LA PRESCRIZIONE DEL MEDICO	nach Anweisung des Arztes
USO ESTERNO / USO INTERNO	äußerlich / innerlich

Medikamente

Abführmittel	il *lassativo / purgante* ...	il laß-ßati'wo / purga'nte
Augentropfen	le gocce per gli occhi / il collirio	le go'tsche perlji o'k-ki / il kol-li'rjo
Beruhigungsmittel	il tranquillante / il sedativo	il trankuil-la'nte / il ßedati'wo
Binde	la fascia	la fa'scha
Brandsalbe	l'unguento scottature	lunguä'nto ßkot-tatu're
Grippetabletten	le pastiglie contro l'influenza	le paßti'lje ko'ntro linfluä'ntßa
Gurgelwasser	la soluzione per gargarismi	la ßolutßjo'ne per gargari'smi
Hustensaft	lo sciroppo contro la tosse	lo schiro'p-po ko'ntro la to'ß-ße
Insektenmittel	il gel contro punture d'insetti	il dschel ko'ntro puntu're dinße't-ti
Jod(tinktur)	la tintura di iodio	la tintu'ra di jo'djo
Kamille(ntee)	la camomilla	la kamomi'l-la
Kohletabletten	l'astringente	laßtrindschä'nte
Kreislaufmittel	il rimedio per la circolazione	il rimä'djo per la tschirkolatßjo'ne
Magentabletten	il rimedio stomatico	il rimä'djo ßtoma'tiko
Nasentropfen	le gocce per il naso	le go't-tsche per il na'so
Ohrentropfen	le gocce per le orecchie	le go't-tsche per le ore'k-kje
Pfefferminztee	il tè alla menta	il tä' a'l-la me'nta
Pflaster	il cerotto	il tschero't-to
Präservative	i preservativi	i preßerwati'wi
Salbe	la pomata / l'unguento	la poma'ta / lungue'nto
Schlafmittel	il sonnifero	il ßon-ni'färo
Schnellverband	la fasciatura	la faschatu'ra
Tabletten	le pastiglie	le paßti'lje
Vitaminpräparat	il farmaco di vitamina	il fa'rmako di witami'na

44

Arzt / Krankenhaus

Ich muß (dringend) einen Arzt aufsuchen.	Devo andare (con urgenza) da un medico.	de'wo anda're (kon ur-dsche'ntßa) da un mä'diko
Wo finde ich hier einen ...	Dove trovo un medico ...	do'wc tro'wo un mä'diko
– Augenarzt?	– oculista?	okuli'ßta
– Chirurgen?	– chirurgo?	kiru'rgo
– Frauenarzt?	– ginecologo?	dschineko'logo
– Hals-, Nasen-, Ohrenarzt?	– otorinolaringoiatra?	otorinolaringoja'tra
– Hautarzt?	– dermatologo?	dermato'logo
– Internisten?	– internista?	interni'ßta
– Kinderarzt?	– pediatra?	pedja'tra
– Nervenarzt?	– neurologo?	ne-uro'logo
– Urologen?	– urologo?	uro'logo
– Zahnarzt?	– dentista?	denti'ßta
Wann hat er Sprechstunde?	Qual è l'orario di visita?	kua'l ä' lora'rjo di wi'sita
Ich fühle mich nicht wohl.	Non mi sento bene.	non mi ße'nto bä'ne
Mir wird oft übel.	Mi sento spesso male.	mi ße'nto ßpä'ß-ßo ma'le
Ich habe mich übergeben.	Ho rimesso.	o' rima'ß-ßo
Ich bin *gestochen (gebissen)* worden.	Sono stato *punto (morsicato)*.	ßo'no ßta'to pu'nto (morßika'to)
Ich bin gestürzt.	Sono caduto.	ßo'no kadu'to
Hier tut es weh.	Fa male qui.	fa' ma'le kui'
Ich bin Diabetiker.	Sono diabetico.	ßo'no diabä'tiko
Ich bin im 4. Monat schwanger.	Sono incinta, al quarto mese.	ßo'no intschi'nta al kua'rto me'se
Ich nehme regelmäßig diese Medikamente.	Prendo regolarmente questi medicamenti.	prä'ndo regolarme'nte kue'ßti medikame'nti
Ich habe ... gegessen.	Ho mangiato ...	o' mandscha'to ...
Ich habe mich erkältet.	Ho preso il raffreddore.	o' pre'so il raf-fred-do're
Ich habe (starke) Zahnschmerzen.	Ho (un forte) mal di denti.	o' (un fo'rte) mal di dä'nti
Dieser Zahn *(oben, unten, vorn, hinten)* tut weh.	Questo dente *(su, giù, davanti, dietro)* mi fa male.	kue'ßto dä'nte (ßu, dschu, dawa'nti, djä'tro) mi fa' ma'le
Können Sie diese Prothese reparieren?	Può aggiustare questa dentiera?	puo' ad-dschußta're kue'ßta dentjä'ra
Bitte geben Sie mir etwas *gegen die Schmerzen (zum Einschlafen).*	Per piacere mi dia qualcosa *contro i dolori (per dormire).*	per pjatsche're mi di'a kualko'sa ko'ntro i dolo'ri (per dormi're)
Wie lange muß ich hier bleiben?	Quanto devo rimanere qui?	kua'nto de'wo rimane're kui'

Krankheiten

Abszeß	l'ascesso	laschä'ß-ßo
Allergie	l'allergia	lal-lerdschi'a
Atembeschwerden	le difficoltà di respiro . . .	le dif-fikolta' di reßpi'ro
Ausschlag	l'eruzione cutanea	lerutßjo'ne kuta'nea
Blähungen	le flatulenze	le flatule'ntße
Blinddarmentzündung .	l'appendicite	lap-penditschi'te

45

Blutdruck *(hoher / niedriger)*	la pressione *(alta / bassa)* del sangue	la preß-ßjo'ne (a'lta / ba'ß-ßa) del ßa'ngue
Blutung	l'emorragia	lemor-radschi'a
Blutvergiftung	la setticemia	la ßet-titschemi'a
Bruch (Knochen-)	la frattura (ossea)	la frat-tu'ra (o'ß-ßea)
Durchfall	la diarrea	la diar-re'a
Entzündung	l'infiammazione	linfjam-matßjo'ne
Erkältung	il raffreddamento	il raf-fred-dame'nto
Fieber	la febbre	la fä'b-bre
Gehirnerschütterung	la commozione cerebrale	la kom-motßjo'ne tscherebra'le
Grippe	l'influenza	linfluä'ntßa
Halsschmerzen	il mal di gola	il mal di go'la
Kopfschmerzen	il mal di testa	il mal di tä'ßta
Krampf	il crampo	il kra'mpo
Krankheit	la malattia	la malat-ti'a
Kreislaufstörung	i disturbi di circolazione	i dißtu'rbi di tschirko-latßjo'ne
Lebensmittelvergiftung	l'avvelenamento da alimenti	law-welename'nto da alime'nti
Migräne	l'emicrania	lemikra'nja
Ohnmacht	lo svenimento	lo swenime'nto
Rheuma	il reumatismo	il re-umati'smo
Schlaganfall	il colpo apoplettico	il ko'lpo apoplä't-tiko
Sehnenzerrung	lo stiramento dei tendini	lo ßtirame'nto de'i tä'ndini
Sonnenbrand	la scottatura	la ßkot-tatu'ra
Sonnenstich	il colpo di sole	il ko'lpo di ßo'le
Verletzung	la ferita	la feri'ta
Verstopfung	la stitichezza	la ßtitikä't-tßa
Wunde	la piaga / la ferita	la pja'ga / la feri'ta
Zuckerkrankheit	il diabete	il diabä'te

Körperteile

Arm	il braccio	il bra't-tscho
Auge (Augen)	l'occhio (gli occhi)	lo'k-kjo (lji o'k-ki)
Bauch	la pancia	la pa'ntscha
Bein	la gamba	la ga'mba
Brust	il petto	il pä't-to
Darm	l'intestino	linteßti'no
Finger	il dito	il di'to
Fuß	il piede	il pjä'de
Geschlechtsorgane	gli organi genitali	lji o'rgani dschenita'li
Gesicht	il viso	il wi'so
Hals	il collo	il ko'l-lo
Hand	la mano	la ma'no
Herz	il cuore	il kuo're
Kinn	il mento	il me'nto
Knöchel (Fuß-)	il malleolo	il mal-lä'olo
Knochen	l'osso	lo'ß-ßo
Kopf	la testa	la tä'ßta
Leber	il fegato	il fe'gato
Magen	lo stomaco	lo ßto'mako
Mund	la bocca	la bo'k-ka
Nase	il naso	il na'so
Nieren	le rene	le re'ne
Ohr	l'orecchio	lore'k-kjo
Rücken	la schiena	la ßkjä'na
Schulter	la spalla	la ßpa'l-la
Wirbelsäule	la colonna vertebrale	la kolo'n-na wertebra'le
Zahn	il dente	il dä'nte
Zunge	la lingua	la li'ngua

Register

47